un titre

du texte

une illustration

un folio

Félicien
Grosnez

des légendes

Merci à Yann Couvin pour ses coups de crayon inspirés,
ainsi qu'au Petit animal et son gentil équipage
pour leur présence et leur patience.

Thierry Laval est l'auteur et l'illustrateur de la collection *Cherche et trouve* au Seuil jeunesse.
Après plusieurs volumes, il a eu envie d'utiliser une partie des illustrations de ses livres pour
faire un imagier. Puis il a commencé à dessiner de nouvelles choses pour ajouter des sujets.
Une fois qu'il a eu commencé, il n'a pas pu s'arrêter.
Et voilà comment est née *L'encyclo illustrée* !

Un grand merci à Laurence Carrion et Anne-Cécile Ferron
pour leur travail (même si elles n'ont pas un gros nez).
Et enfin, merci à Chloé pour sa joyeuse participation.

© Éditions du Seuil, 2013
Dépôt légal : août 2013
ISBN : 978-2-02-106350-9
N° 106350-1
Loi 49-956 du 16 juillet 1949 sur les publications destinées à la jeunesse
Tous droits de reproduction réservés
Imprimé en France
www.seuil.com

THIERRY LAVAL

L'encyclo illustrée

(avec un gros nez)

Suis Félicien Grosnez à travers les pages
de ton encyclo illustrée, et découvre
le monde en sa compagnie.

SEUIL JEUNESSE

Des gens

personnes avec le nez au milieu de la figure qui, souvent, oublient de rigoler quand on les chatouille. Il est à noter que les coiffeurs sont également des gens au même titre que la boulangère de la rue des coquillettes.

6

Félicien cherche
son meilleur copain.
Mais où est Charlie ?

Le corps

en l'absence de corps, il nous serait très difficile de jeter des cailloux aux pigeons, de donner des coups de pied dans les tibias, de marcher dans les feuilles mortes, de remettre ses chaussettes d'hier, d'envoyer de grands sourires au ciel bleu et de faire des bisous sur le nez de Raffaella, Johanna, Benjamin, Luhan, Maxime, Juliette, Zoé...

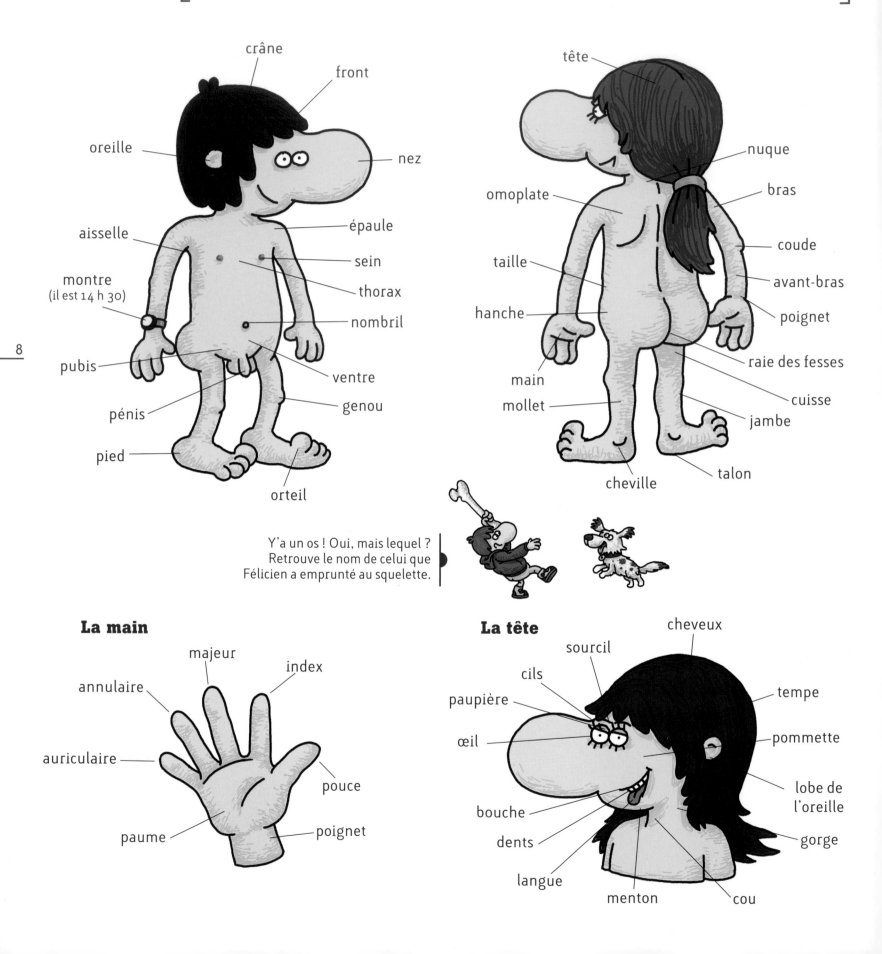

crâne
front
oreille
nez
aisselle
épaule
sein
thorax
montre (il est 14 h 30)
nombril
pubis
ventre
pénis
genou
pied
orteil

tête
nuque
bras
omoplate
coude
taille
avant-bras
poignet
hanche
raie des fesses
main
cuisse
mollet
jambe
talon
cheville

Y'a un os ! Oui, mais lequel ?
Retrouve le nom de celui que
Félicien a emprunté au squelette.

La main

majeur
index
annulaire
auriculaire
pouce
paume
poignet

La tête

cheveux
sourcil
cils
tempe
paupière
œil
pommette
bouche
lobe de l'oreille
dents
gorge
langue
menton
cou

8

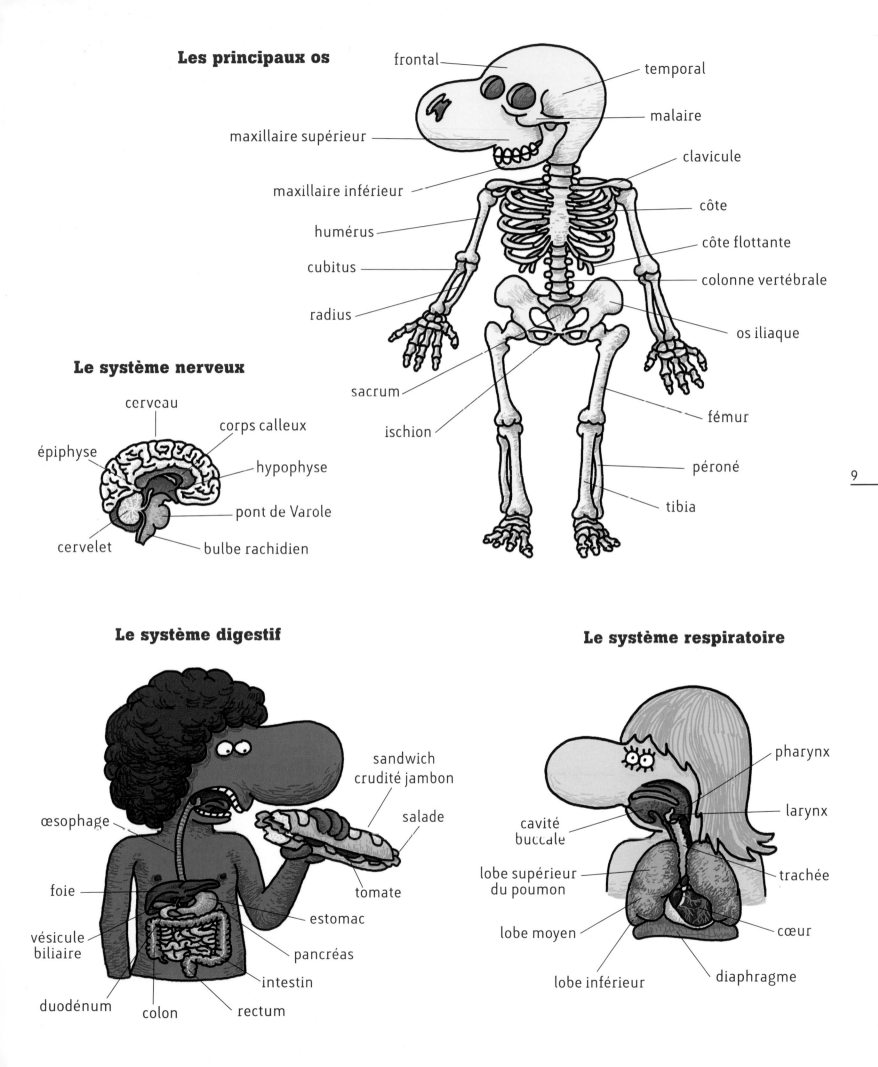

Les principaux os

frontal
temporal
malaire
maxillaire supérieur
clavicule
maxillaire inférieur
côte
humérus
côte flottante
cubitus
colonne vertébrale
radius
os iliaque
sacrum
fémur
ischion
péroné
tibia

Le système nerveux

cerveau
corps calleux
épiphyse
hypophyse
pont de Varole
cervelet
bulbe rachidien

9

Le système digestif

œsophage
sandwich crudité jambon
salade
foie
tomate
vésicule biliaire
estomac
pancréas
intestin
duodénum
rectum
colon

Le système respiratoire

pharynx
larynx
cavité buccale
lobe supérieur du poumon
trachée
lobe moyen
cœur
lobe inférieur
diaphragme

Des aliments

ce qui sert de nourriture quand un être vivant (plutôt humain) a faim. S'il parvient cependant, sans tout renverser sur la moquette, à déchirer avec les dents le sachet à ouverture facile, parce que nom d'un chewing-gum à la blanquette de veau, c'est vraiment impossible avec les mains !

Pains du monde

Produits laitiers

Viande, œufs et poisson

Pâtes et féculents

1. une baguette de France 2. un rug brod du Danemark 3. des pita du Liban 4. un chapati d'Inde 5. un shamsi ou pain soleil d'Égypte 6. un roll des États-Unis 7. une ciabatta d'Italie 8. une empanada d'Argentine 9. une fougasse de France 10. des blinis de Russie 11. un bagel des États-Unis 12. des tortillas du Mexique 13. du lait 14. du beurre 15. un camembert 16. une crème de gruyère 17. un yaourt 18. de l'emmental 19. un poulet rôti 20. une saucisse 21. une entrecôte

Plats divers

Produits sucrés

Boissons

Fruits et légumes

11

22. du jambon **23.** du saumon **24.** des œufs **25.** des pâtes **26.** des frites **27.** des lentilles **28.** du riz **29.** une pizza **30.** des œufs au plat **31.** un hamburger **32.** des nems **33.** des sushis, des sashimis et des makis **34.** un sandwich **35.** de la confiture **36.** du chocolat **37.** une tarte aux fruits **38.** un croissant **39.** une madeleine **40.** une gaufre **41.** un cake **42.** de l'eau **43.** du jus de fruit **44.** du thé **45.** du café **46.** pour le détail des fruits et légumes, voir pp. 62 à 65.

La famille

groupe de gens unis par un lien de parenté, qui passent à table le dimanche pour manger des cacahouètes.

L'arbre généalogique

Athanagor et Marguerite
Grosnez *(née Jolicœur)*

René et Jeanne Grosnez *(née Guibole)*

12

Dominique et Micheline
Biceps *(née Grosnez)*

Jean-Pierre et Yvette Grosnez
(née Mollet) avec leur fils, Friedrich

Arsène et Lucienne

Félicien a une grande famille.
Peux-tu, sans t'y perdre,
nommer ses tantes ?

Capucine Grosnez

Édouard Grosnez

Galerie des ancêtres de la famille Grosnez

1. Jean-Charles Grosnez **2.** Edmonde Grosnez **3.** Amédée Grosnez **4.** Maximilien Grosnez **5.** Marie-Antoinette Grosnez
6. Charles-Auguste Grosnez

de la famille Grosnez

Sigismond et Hortense Petitpied
(née de Grosgenou)

Charles Petitpied

Edmond et Célestine Petitpied *(née Beaucil)*

Grosnez *(née Petitpied)*

Aristide et Josiane Zoreille
(née Petitpied)

Pierre-François et Paulette de la Maléole
(née Petitpied)

13

Félicien Grosnez

Kévin et Prune Zoreille

Kiki de la Maléole

7. Mathurin Grosnez **8.** Louis-Philippe Grosnez **9.** Godefroy et Philomène Grosnez **10.** Virgile Grosnez **11.** Aldéric Grosnez **12.** Mammuth Grosnez

Qui sont-ils, que font-ils ?

1. un ouvrier 2. un sémaphore 3. un capitaine de navire 4. un mécanicien 5. un architecte 6. un plongeur 7. un berger
8. un astronaute 9. une fermière 10. un moine 11. un chasseur 12. un docker 13. un maori 14. un marin 15. un caméraman
16. un policier 17. un boucher 18. un tagueur 19. un scout 20. un balayeur 21. un spéléologue 22. une apicultrice 23. une
douanière 24. un pilote de ligne 25. une hôtesse de l'air 26. un agriculteur 27. un alpiniste 28. un pompier 29. un chef
de gare 30. un serveur 31. un contrôleur 32. un pêcheur 33. un randonneur en raquettes 34. une passante 35. un cracheur
de feu 36. un glacier 37. un écolier 38. un skate-boarder 39. un mécanicien aéronautique 40. un sumo 41. un éboueur

Félicien est un peu bêta, il ne sait pas à qui ces objets appartiennent. Aide-le !

15

42. des joueurs de pétanque **43.** un jardinier **44.** un lugeur **45.** des touristes **46.** un chanteur **47.** un roi **48.** un militaire
49. une patineuse **50.** un cycliste **51.** un savant **52.** un touareg **53.** un sherpa **54.** une employée de bureau **55.** un sorcier
56. un sadou **57.** un explorateur **58.** un shaman **59.** un charmeur de serpents **60.** un joueur de cornemuse **61.** un voyageur
62. un peintre **63.** un conducteur de cyclo-pousse **64.** un président directeur général **65.** un imam **66.** une vahiné **67.** un
sans-abri **68.** un horse-guard **69.** un général **70.** un arlequin **71.** un griot **72.** un chevalier **73.** un gaucho **74.** un Indien
guarani **75.** un bandit **76.** un fakir **77.** un bûcheron **78.** un client **79.** une randonneuse

Des sports

activités fatigantes pratiquées sous forme de jeux qui font surtout rigoler ceux qui gagnent à la fin. Après, il est recommandé de prendre une douche sous les bras.

athlétisme

sports de combat

sports mécaniques

gymnastique

1. le 400 mètres haies **2.** le 100 mètres handisport **3.** le relais 4 fois 100 **4.** le lancer de javelot **5.** le saut à la perche **6.** le lancer de marteau **7.** le lancer de poids **8.** le saut en hauteur **9.** le 3 000 mètres steeple **10.** le catch **11.** le sumo **12.** la boxe **13.** l'escrime **14.** le judo **15.** la formule 1 **16.** le karting **17.** le rallye **18.** le moto-cross **19.** la gymnastique rythmique et sportive **20.** les barres parallèles **21.** la poutre **22.** le cheval d'arçon

sports de glisse

sports de balle

sports nautiques

Félicien pratique un sport quelque peu étrange. Un autre sport improbable figure dans ces pages. Saurais tu dire lequel ?

sports divers

17

23. le snowboard **24.** le ski **25.** la course de Caddies® **26.** le curling **27.** le bobsleigh **28.** le basket-ball **29.** le rugby **30.** le ping-pong **31.** le volley-ball **32.** le football américain **33.** le football **34.** le tennis **35.** la pelote basque **36.** le base-ball **37.** le ski nautique **38.** le windsurf **39.** le kayak **40.** le kite-surf **41.** le surf **42.** le saut équestre **43.** le BMX **44.** le tir à l'arc **45.** l'haltérophilie **46.** l'escalade

La musique

art de faire du bruit de manière à ce que madame Bégonia, la vieille dame du 5e étage, ne jette pas l'eau des nouilles sur la tête du musicien.

1. un groupe punk **2.** une fanfare de La Nouvelle-Orléans *(États-Unis)* **3.** des joueurs de blues *(États-Unis)* **4.** un orchestre mariachi *(Mexique)* **5.** un groupe des Andes *(Amérique du Sud)* **6.** des musiciens indiens **7.** des tambours du Burundi **8.** des chanteuses inuits **9.** un groupe de musique irlandaise **10.** un homme-orchestre **11.** des musiciens d'Afrique **12.** un groupe de

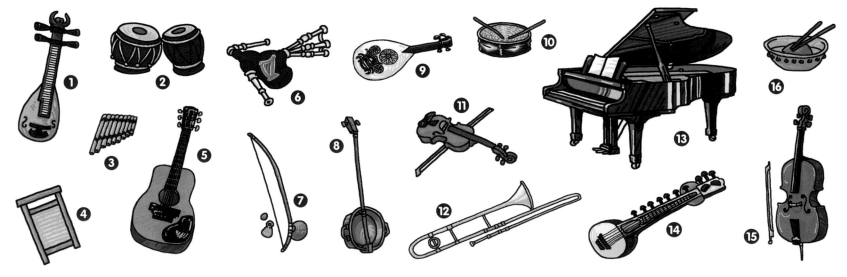

1. une pipa **2.** des tablas **3.** une flûte de Pan **4.** une planche à musique **5.** une guitare sèche **6.** une cornemuse **7.** un berimbau **8.** une contrebassine **9.** un oud **10.** un tambour de steel-band **11.** un violon **12.** un trombone à coulisse **13.** un piano **14.** un sitar **15.** un violoncelle **16.** un tambour d'eau

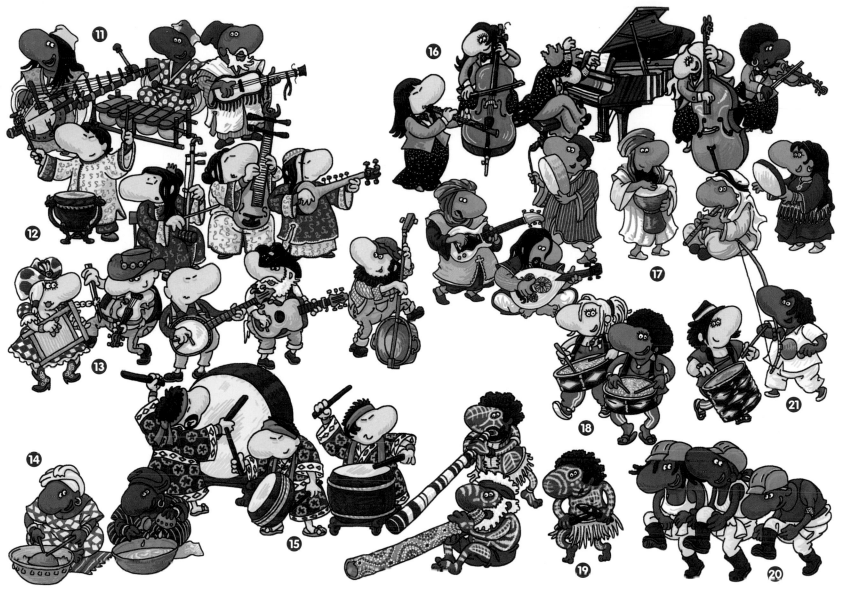

musique traditionnelle chinoise **13.** un groupe de country hillbilly *(États-Unis)* **14.** des joueuses de tambour d'eau *(Afrique)* **15.** un groupe taïko *(Japon)* **16.** un orchestre de musique classique *(Europe)* **17.** des musiciens arabes *(Afrique du Nord)* **18.** un steel-band *(Antilles)* **19.** des musiciens aborigènes *(Australie)* **20.** des gumboots *(Afrique du Sud)* **21.** un joueur de berimbau *(Brésil)*

Vite, redonne la guitare à son véritable musicien : Félicien joue trop mal !
Fais de même avec les autres instruments.

17. un balafon **18.** une basse électrique **19.** un xalam **20.** un tuba **21.** une kora **22.** une contrebasse **23.** un ehru **24.** un hautbois **25.** des bottes en caoutchouc **26.** un hélicon **27.** une batterie **28.** un banjo **29.** une guitare électrique **30.** un didgeridoo **31.** un djembé **32.** un harmonica

L'Histoire

récit de la vie de tous les êtres humains, même de ceux au coin du feu avant l'invention des allumettes, jusqu'à celle des voisins de palier rencontrés en sortant de l'ascenseur.

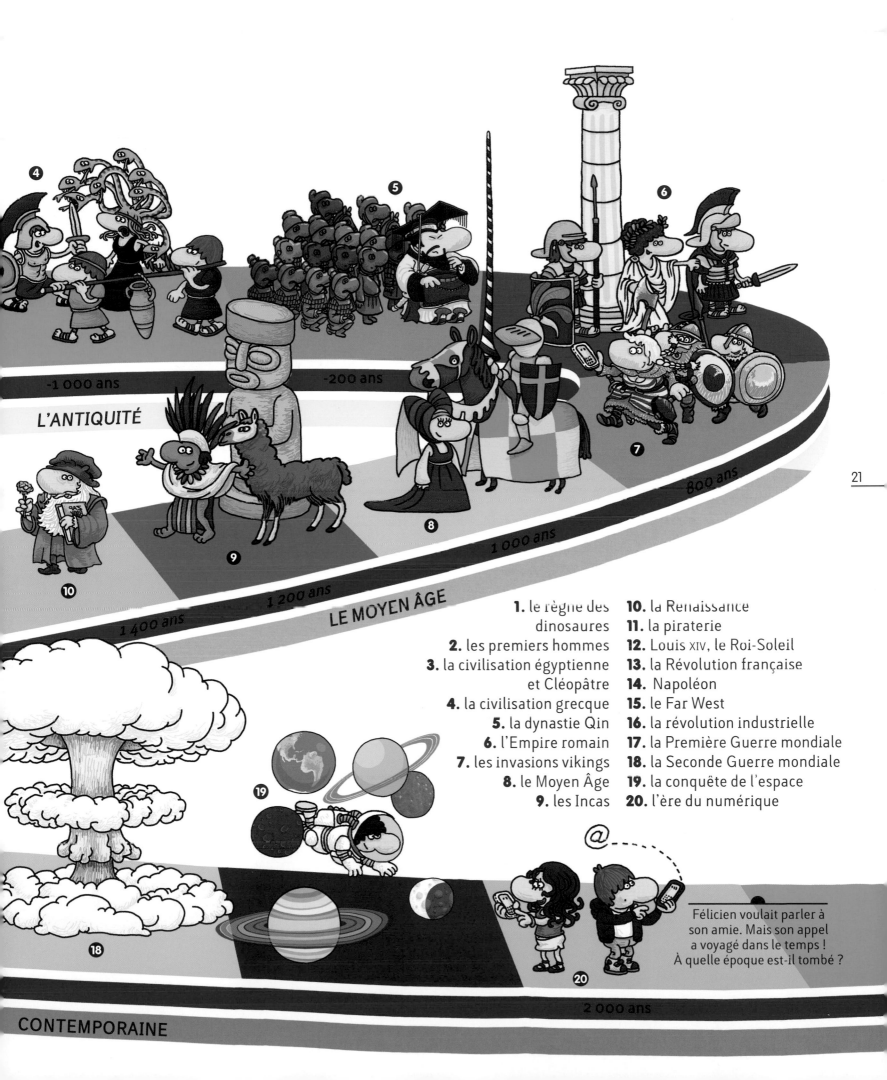

-1 000 ans

-200 ans

L'ANTIQUITÉ

800 ans

1 000 ans

1 200 ans

1 400 ans

LE MOYEN ÂGE

21

1. le règne des dinosaures
2. les premiers hommes
3. la civilisation égyptienne et Cléopâtre
4. la civilisation grecque
5. la dynastie Qin
6. l'Empire romain
7. les invasions vikings
8. le Moyen Âge
9. les Incas
10. la Renaissance
11. la piraterie
12. Louis XIV, le Roi-Soleil
13. la Révolution française
14. Napoléon
15. le Far West
16. la révolution industrielle
17. la Première Guerre mondiale
18. la Seconde Guerre mondiale
19. la conquête de l'espace
20. l'ère du numérique

Félicien voulait parler à son amie. Mais son appel a voyagé dans le temps ! À quelle époque est-il tombé ?

2 000 ans

CONTEMPORAINE

Des personnages imaginaires

personnes représentées dans les livres, les contes, les légendes ou les films, aimant se faire remarquer en ne faisant jamais rien comme tout le monde.

1. une sorcière
2. Peter Pan
3. le génie de la lampe
4. les sept nains
5. Blanche-Neige
6. le lièvre et la tortue
7. Peau d'Âne
8. le Chat botté
9. un ogre
10. un diablotin
11. le Petit Poucet
12. Pinocchio
13. Superman
14. la Mort
15. Barbe-Bleue
16. Tom Pouce
17. un kobold
18. un gobelin
19. Merlin l'Enchanteur
20. un elfe
21. Alice au pays des merveilles
22. le Petit Chaperon rouge
23. le Grand Méchant Loup
24. une ondine
25. une sirène
26. la Belle au bois dormant
27. la Fée Clochette
28. un lutin
29. un korrigan
30. une princesse
31. Jack O'Lantern
32. Nils Holgersson
33. une licorne
34. le joueur de flûte
35. un Père Noël
36. Dieu
37. Jack et le haricot magique
38. Aladin
39. le prince charmant
40. Cendrillon
41. un ange

La mythologie grecque

[ensemble des histoires avec leurs héros et leurs méchants très méchants que les Grecs d'avant se racontaient le soir en pyjama. « Bon d'accord... une dernière, mais après la bise et puis au lit ! »]

1. Jason **2.** Pégase **3.** Zeus **4.** une harpie **5.** Cerbère **6.** un centaure **7.** une chimère **8.** un faune **9.** Hercule **10.** Méduse **11.** l'hydre **12.** Dionysos **13.** Orphée

Par Zeus ! Félicien en est sûr : un des personnages n'est pas grec du tout ! Lequel ?

14. un titan **15.** le sphinx **16.** Hermès **17.** Poséidon **18.** Cupidon **19.** une amazone **20.** une sirène **21.** Aphrodite **22.** un griffon **23.** Icare **24.** un cyclope **25.** Horus **26.** Sisyphe

Des monstres

êtres vivants pour de faux et au vocabulaire limité à quelques borborygmes primaires du genre : « Groaaar », « grrrrrrrr », « grognnn » ou « je vais te découper en petits morceaux avec une fourchette à dessert ».

1. un spectre **2.** un alien **3.** un homme invisible **4.** un yéti **5.** un golem **6.** une momie **7.** M. Dupuis, instituteur **8.** un petit gris **9.** la créature des marais **10.** le monstre de l'espace **11.** un Martien **12.** le cavalier sans tête **13.** la créature de Frankenstein

Parmi eux, l'un n'est pas tout à fait un monstre, quoiqu'en pense Félicien. Et toi ?

14. l'homme mouche **15.** Godzilla **16.** un loup-garou **17.** le croque-mitaine **18.** un télépathe **19.** Mr Hyde **20.** un extraterrestre **21.** un fantôme **22.** une androïde **23.** un mutant **24.** un vampire **25.** un zombie **26.** King-Kong

Une maison

[bâtiment dans lequel les gens se brossent les dents avant d'aller se coucher.]

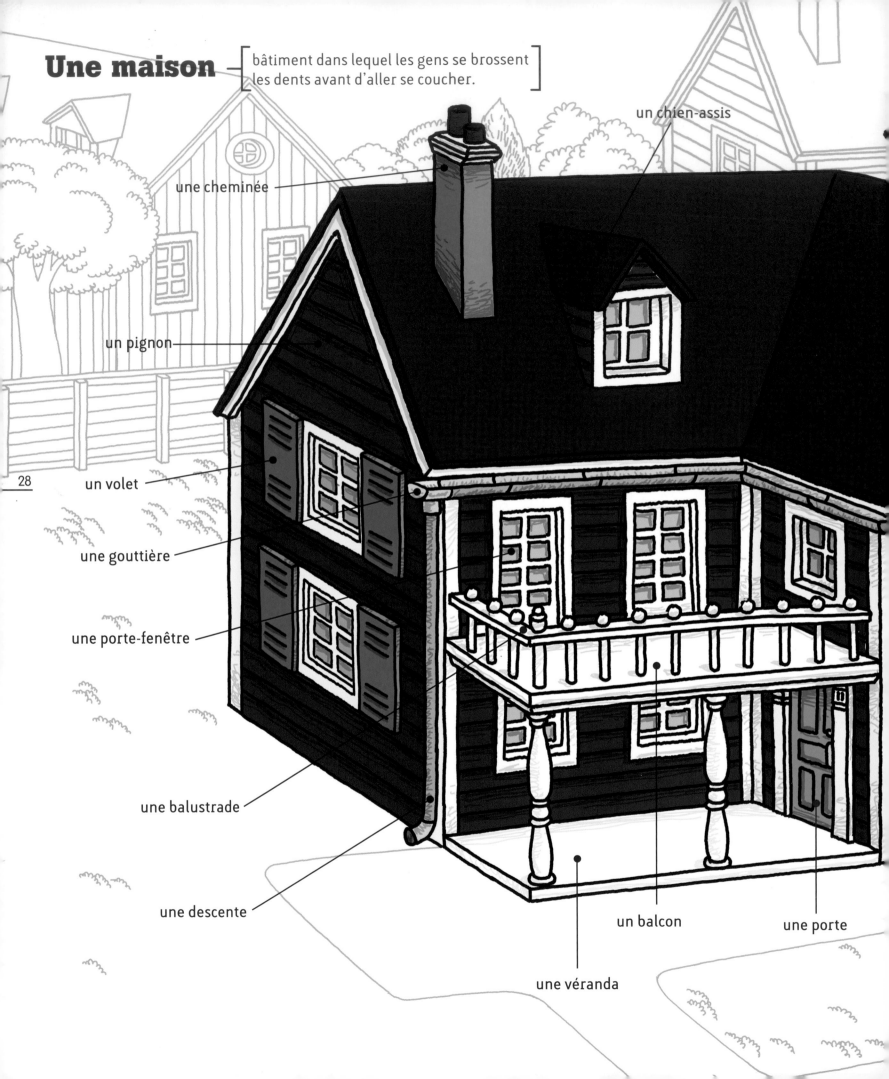

un chien-assis

une cheminée

un pignon

un volet

une gouttière

une porte-fenêtre

une balustrade

une descente

une véranda

un balcon

une porte

28

la toiture

une fenêtre

le garage

la façade

la boîte aux lettres

Dans la maison

tout ce qu'il y a à l'intérieur, même s'il ne reste plus beaucoup de dentifrice pour se brosser les dents.

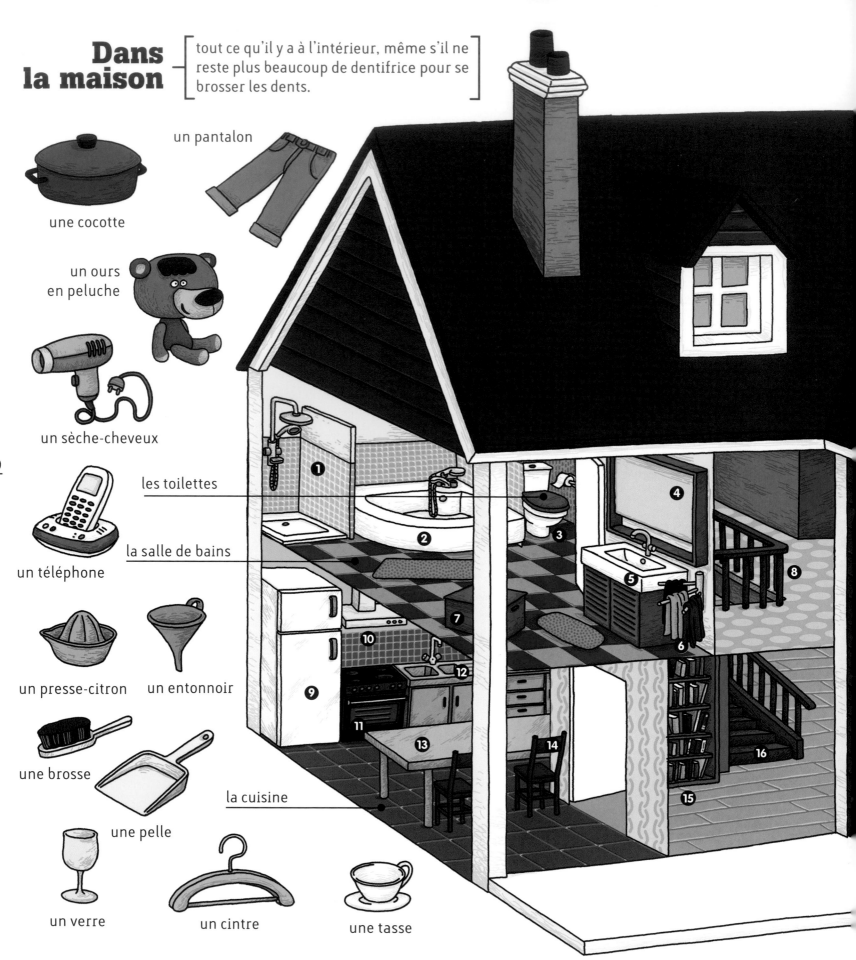

une cocotte

un pantalon

un ours
en peluche

un sèche-cheveux

un téléphone

les toilettes

la salle de bains

un presse-citron   un entonnoir

une brosse

une pelle

la cuisine

un verre   un cintre   une tasse

1. une douche **2.** une baignoire **3.** des WC **4.** un miroir **5.** un lavabo **6.** un porte-serviettes **7.** un coffre à linge **8.** une rambarde **9.** un réfrigérateur **10.** une hotte aspirante **11.** une cuisinière électrique **12.** un évier **13.** une table **14.** une chaise **15.** une bibliothèque **16.** un escalier

une poêle

une bouilloire

une écumoire

une brosse à dents

une passoire

un grille-pain

un ballon

du dentifrice

Félicien a décidé de faire la popote, mais manier la cuillère ne fait pas de lui un chef ! Quels autres ustensiles lui faut-il pour réussir son repas ?

la chambre des enfants

une fourchette

la chambre parentale

un aspirateur

un balai

le salon

des pantoufles

une casserole

une assiette

17. un pouf **18.** un tapis **19.** une table basse **20.** un fauteuil **21.** une lampe **22.** un canapé **23.** une télévision **24.** une table de chevet **25.** une lampe de chevet **26.** un lit **27.** un tableau **28.** une armoire **29.** un cheval à bascule **30.** un coffre à jouets **31.** des lits superposés **32.** une échelle

Des habitations

autre nom pour une maison, mais ce n'est pas une raison pour ne pas se brosser les dents avant d'aller se coucher.

Félicien est un peu miro...
il a loupé sa photo ! Aide-le
à retrouver ce qu'il a photographié.

1. un ranch
2. des tipis
3. un faré
4. un pavillon japonais traditionnel
5. un immeuble parisien
6. une yourte
7. une isba
8. un bidonville
9. des immeubles hollandais
10. une caravane
11. un douar
12. une hutte pygmée
13. une maison sur pilotis
14. un pavillon
15. des igloos
16. une maison norvégienne
17. une tente
18. un gratte-ciel
19. des maisons flottantes péruviennes
20. une case
21. une tente bédouine
22. une cabane
23. une roulotte
24. un chalet
25. un manoir

33

Des monuments

édifices ou bâtiments bien plus grands que la maison du voisin et dans lesquels il n'y a même pas de salle de bains. N'empêche qu'ils font très joli sur les photos.

1. Stonehenge **2.** une cathédrale **3.** un sphinx **4.** la statue de la Liberté **5.** le Parthénon **6.** la basilique Saint-Basile
7. la Cité interdite **8.** un obélisque **9.** l'opéra de Sydney **10.** le temple d'Angkor **11.** des Maoïs **12.** un temple bouddhiste

Quel farceur ce Félicien...
Peux-tu remettre à sa place
ce qu'il tient dans sa main ?

13. la Grande Muraille de Chine **14.** la tour Eiffel **15.** un château **16.** la mosquée de Djenné **17.** le pont de Londres **18.** une pyramide aztèque **19.** une pagode **20.** la tour de Pise **21.** une pyramide égyptienne **22.** une maison des esprits **23.** le Taj Mahal

Des engins de chantier

[outils, appareils, instruments, machines, véhicules destinés à soulever, pousser, démolir, arracher, broyer, creuser, transporter, vider, remplir, aplatir, déplacer, construire… sauf le dimanche parce que, quand même, faut pas pousser mamie dans la purée du gigot.]

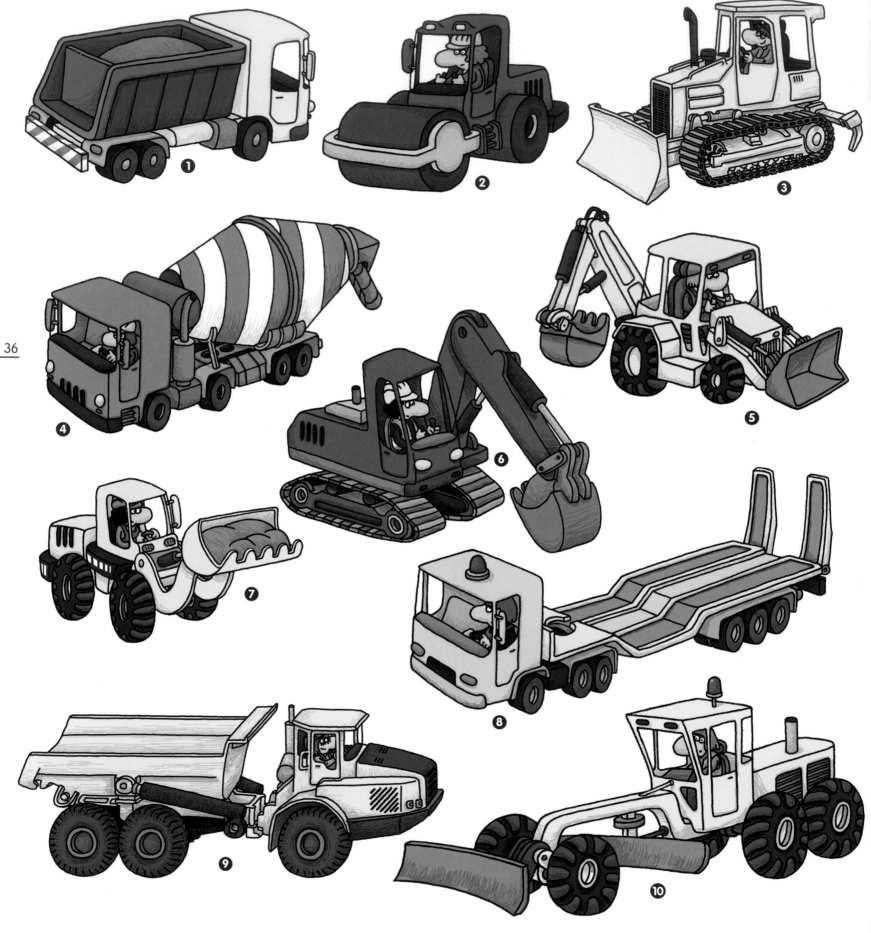

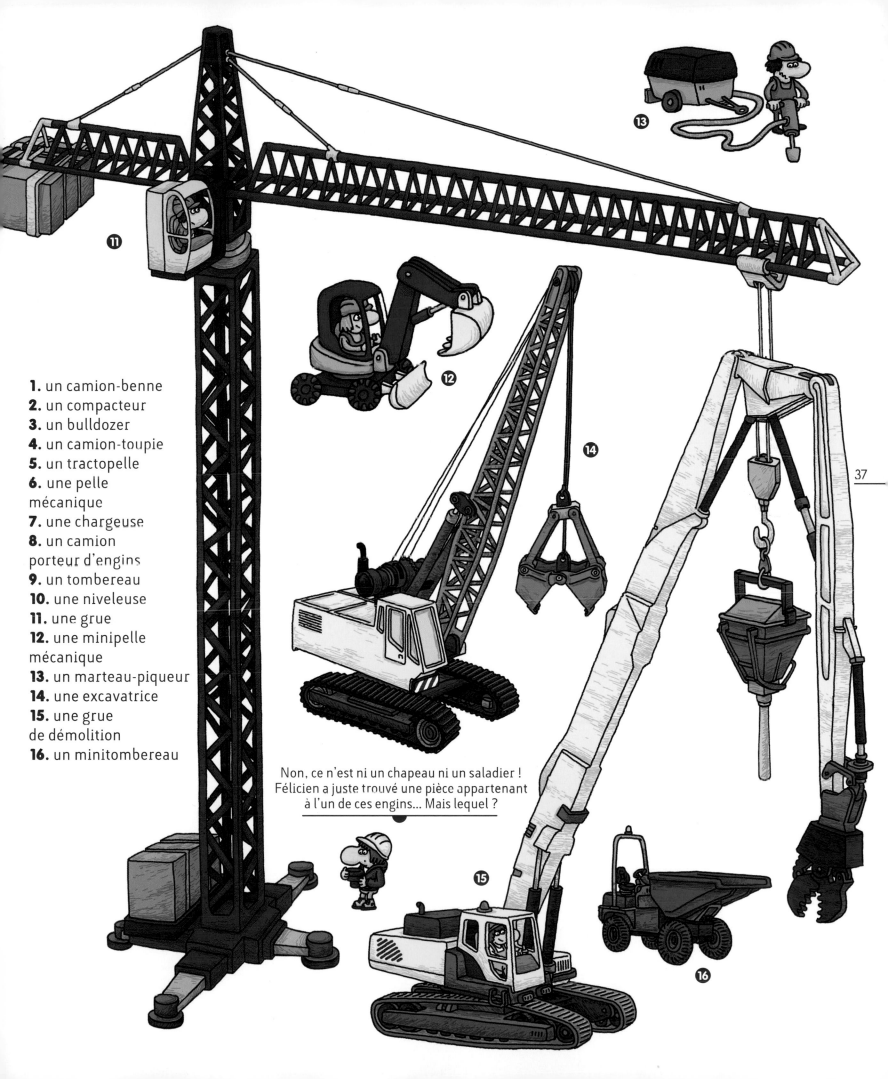

1. un camion-benne
2. un compacteur
3. un bulldozer
4. un camion-toupie
5. un tractopelle
6. une pelle mécanique
7. une chargeuse
8. un camion porteur d'engins
9. un tombereau
10. une niveleuse
11. une grue
12. une minipelle mécanique
13. un marteau-piqueur
14. une excavatrice
15. une grue de démolition
16. un minitombereau

Non, ce n'est ni un chapeau ni un saladier !
Félicien a juste trouvé une pièce appartenant
à l'un de ces engins... Mais lequel ?

Sur la route

1. un bus de ramassage scolaire **2.** une voiture de sport **3.** une dépanneuse **4.** une ambulance **5.** un semi-remorque
6. un quatre roues motrices (ou 4x4) **7.** une mobylette **8.** un vélo **9.** un break **10.** un camion de pompiers **11.** un scooter
12. un camion-benne

On a perdu Félicien !
Peux-tu le retrouver ?

13. un camion-poubelle **14.** une trottinette **15.** une voiture **16.** une roulotte **17.** un taxi **18.** un camion-citerne **19.** une camionnette **20.** un camping-car **21.** un pick-up **22.** un quad **23.** un car **24.** un VTT **25.** une moto **26.** une limousine **27.** un triporteur **28.** une décapotable **29.** un van

Une voiture

— véhicule à roues rondes pouvant transporter madame Nadine chez le coiffeur tout en écoutant la radio dans les embouteillages.

40

1. le capot **2.** une ceinture de sécurité **3.** une plaque d'immatriculation **4.** le sandwich crudités et thon de Nadine **5.** le rétroviseur intérieur **6.** un essuie-glace **7.** le sac à main de Nadine **8.** un phare **9.** le moteur **10.** la batterie **11.** un rétroviseur extérieur **12.** le volant **13.** un pare-chocs **14.** Nadine, la conductrice **15.** un siège

16. Toutou, le chien-chien de Nadine **17.** un jerrican **18.** la roue de secours **19.** le coffre **20.** une valise **21.** la remorque
22. le triangle de signalisation **23.** Philibert, fils de Nadine et passager à grande langue **24.** la banquette **25.** une portière
26. le cric **27.** un pneu **28.** un gilet de sécurité

Des trains

ensembles de wagons traînés par une locomotive et derrière lesquels il ne sert à rien de courir. Il faut partir à point ou à 12 h 37, arrivée à 16 h 12 à Limoges-Bénédictins.

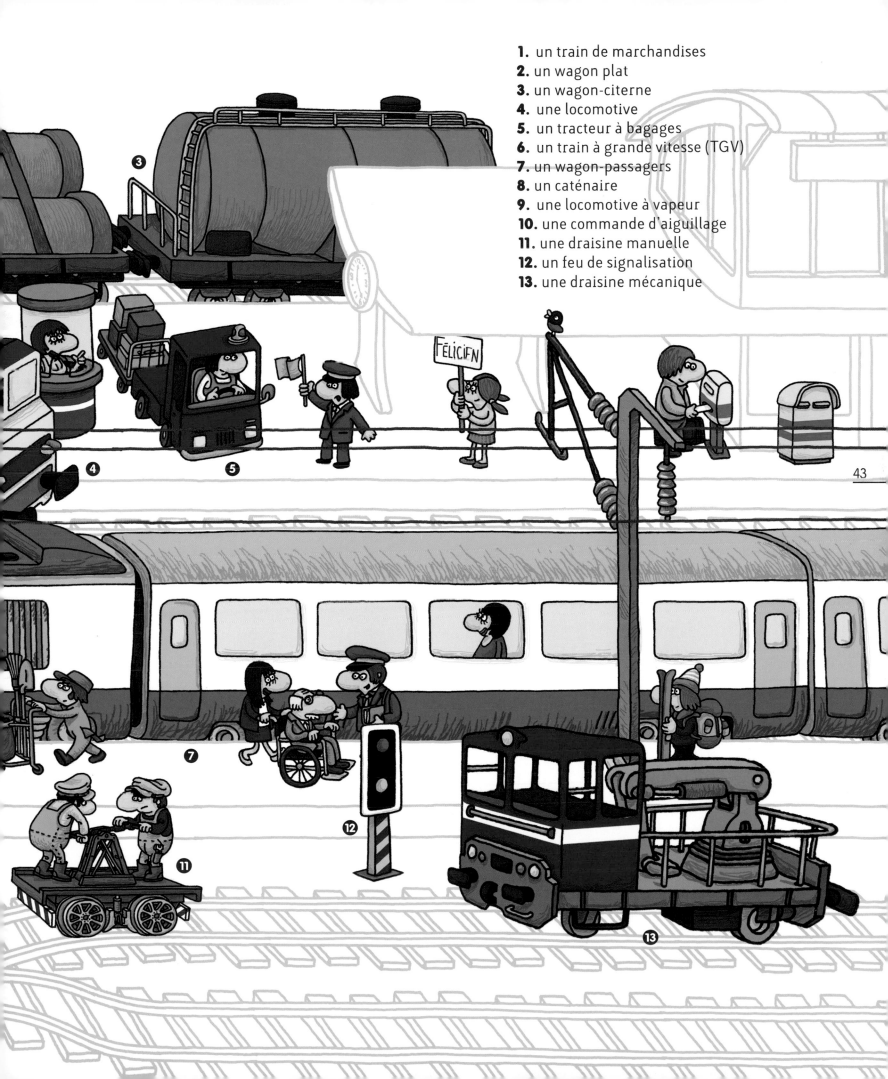

1. un train de marchandises
2. un wagon plat
3. un wagon-citerne
4. une locomotive
5. un tracteur à bagages
6. un train à grande vitesse (TGV)
7. un wagon-passagers
8. un caténaire
9. une locomotive à vapeur
10. une commande d'aiguillage
11. une draisine manuelle
12. un feu de signalisation
13. une draisine mécanique

43

Des bateaux

véhicules sans ailes, sans roues, et qui le plus souvent flottent, avec des gens dedans qui auraient quand même dû apprendre à nager avant de monter à bord.

cheminée

salon

gymnase

salon promenade

piscine

poupe

gouvernail et hélices

chaloupes de sauvetage

hublots

Quel ami de Félicien a oublié sa rame ?

stabilisateur de roulis

1. un yacht
2. un paquebot
3. une gondole
4. un voilier monocoque
5. un dériveur
6. un canoë-kayak
7. une pirogue à balancier
8. un canot de sauvetage
9. un trimaran
10. un radeau
11. un hors-bord
12. une barque
13. un sampan

14. un jet-ski
15. un bateau d'aviron
16. un remorqueur
17. une vedette de sauvetage en mer
18. une jonque
19. une péniche
20. une vedette militaire
21. un cargo
22. une felouque
23. un canot pneumatique
24. un chalutier
25. une pirogue

44

antennes de télécommunication

radar

terrasse extérieure

cabines

appartement du commandant

passerelle de navigation

plage avant

proue

ancre

propulseur d'étrave

45

Des avions

machines avec des ailes sur les côtés, des gens dedans le plus souvent, dont l'objectif est de se déplacer de nuage en nuage sans tomber.

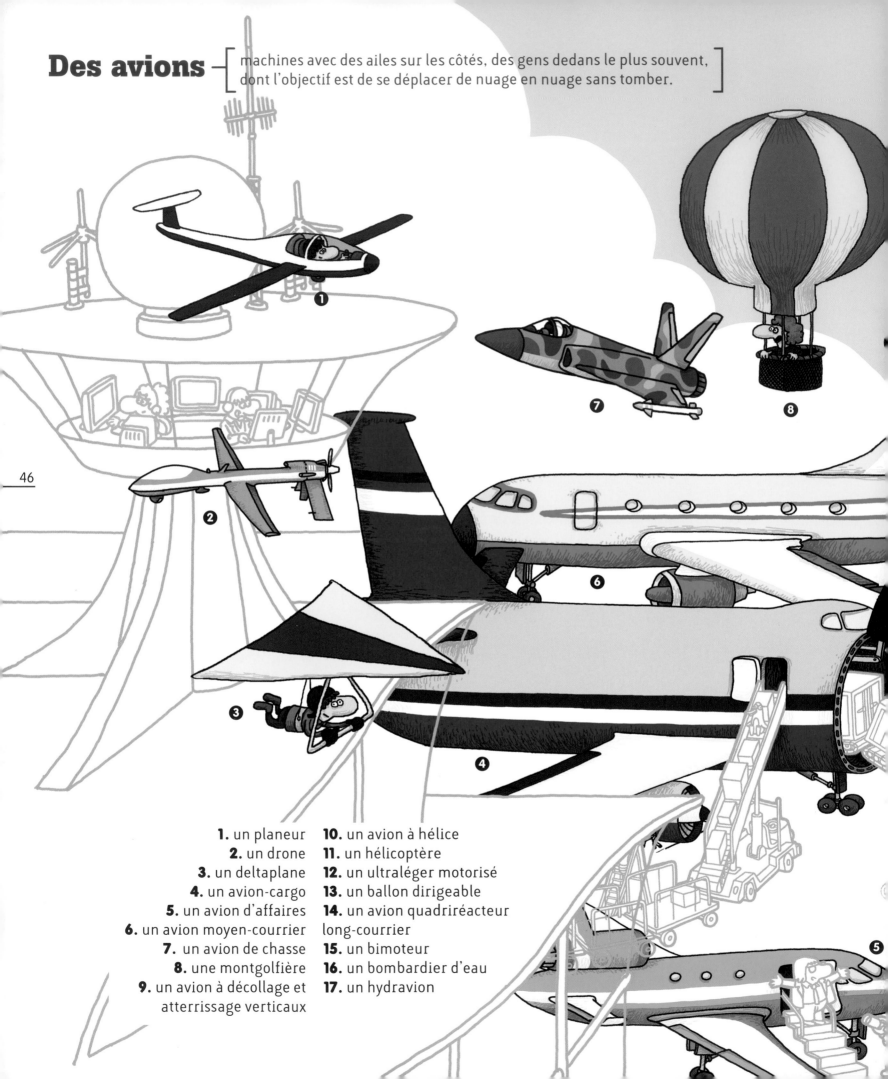

1. un planeur
2. un drone
3. un deltaplane
4. un avion-cargo
5. un avion d'affaires
6. un avion moyen-courrier
7. un avion de chasse
8. une montgolfière
9. un avion à décollage et atterrissage verticaux
10. un avion à hélice
11. un hélicoptère
12. un ultraléger motorisé
13. un ballon dirigeable
14. un avion quadriréacteur long-courrier
15. un bimoteur
16. un bombardier d'eau
17. un hydravion

46

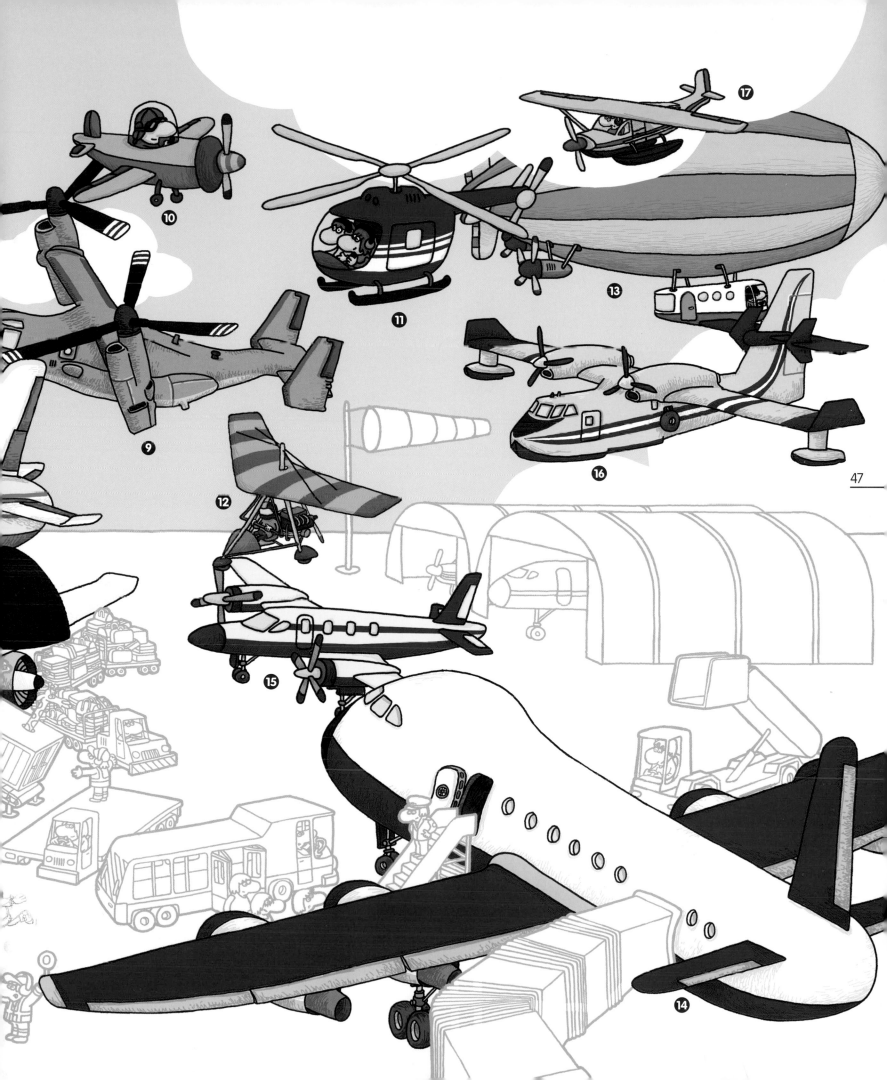

L'Univers — [tout ce qui existe, y compris les épinards à la béchamel et Petit Ours Brun.]

1. Neptune **2.** un objet volant non identifié (OVNI) **3.** une météorite **4.** Saturne **5.** une sonde spatiale **6.** Uranus
7. une soucoupe volante **8.** un vaisseau spatial intergalactique **9.** Jupiter

49

Félicien est parti pique-niquer sur la planète la plus éloignée de la Terre. Laquelle est-ce ?

10. une navette spatiale **11.** un satellite **12.** la Terre **13.** Mars **14.** Vénus **15.** une fusée **16.** une comète **17.** Mercure **18.** la Lune **19.** le Soleil

Le monde

tout ce qu'il y a sur la planète Terre, même des êtres humains regardant la télévision avant de devenir vieux.

Amérique

1. Canada 2. États-Unis 3. Mexique
4. Guatemala 5. Belize 6. Honduras
7. Salvador 8. Nicaragua 9. Costa Rica
10. Panama 11. Cuba 12. République
dominicaine 13. Colombie 14. Venezuela
15. Guyana 16. Suriname 17. Guyane
18. Brésil 19. Équateur 20. Pérou
21. Bolivie 22. Paraguay 23. Chili
24. Argentine 25. Uruguay 26. Groenland

Afrique

57. Libye 58. Tunisie 59. Algérie
60. Maroc 61. Mauritanie 62. Sénégal
63. Gambie 64. Guinée-Bissau
65. Sierra Leone 66. Guinée 67. Mali
68. Burkina Faso 69. Liberia 70. Côte d'Ivoire
71. Ghana 72. Togo 73. Bénin 74. Nigeria
75. Niger 76. Tchad 77. Cameroun 78. Guinée
équatoriale 79. Gabon 80. Congo 81. République
centrafricaine 82. République démocratique du
Congo 83. Angola 84. Namibie 85. Botswana
86. Afrique du Sud 87. Lesotho 88. Swaziland
89. Mozambique 90. Zimbabwe 91. Malawi
92. Madagascar 93. Zambie 94. Tanzanie
95. Ouganda 96. Kenya 97. Somalie 98. Éthiopie
99. Djibouti 100. Érythrée 101. Soudan
102. Égypte

Europe

27. Islande **28.** Irlande **29.** Royaume-Uni **30** Norvège **31.** Suède **32.** Finlande **33.** Estonie **34.** Lituanie **35.** Lettonie **36.** Biélorussie
37. Pologne **38.** Allemagne **39.** Pays-Bas **40.** Danemark **41.** Belgique **42.** France **43.** Espagne **44.** Portugal **45.** Suisse **46.** Italie
47. République tchèque **48.** Autriche **49.** Slovaquie **50.** Hongrie **51.** Croatie **52.** Bosnie **53.** Roumanie **54.** Bulgarie **55.** Grèce **56.** Ukraine

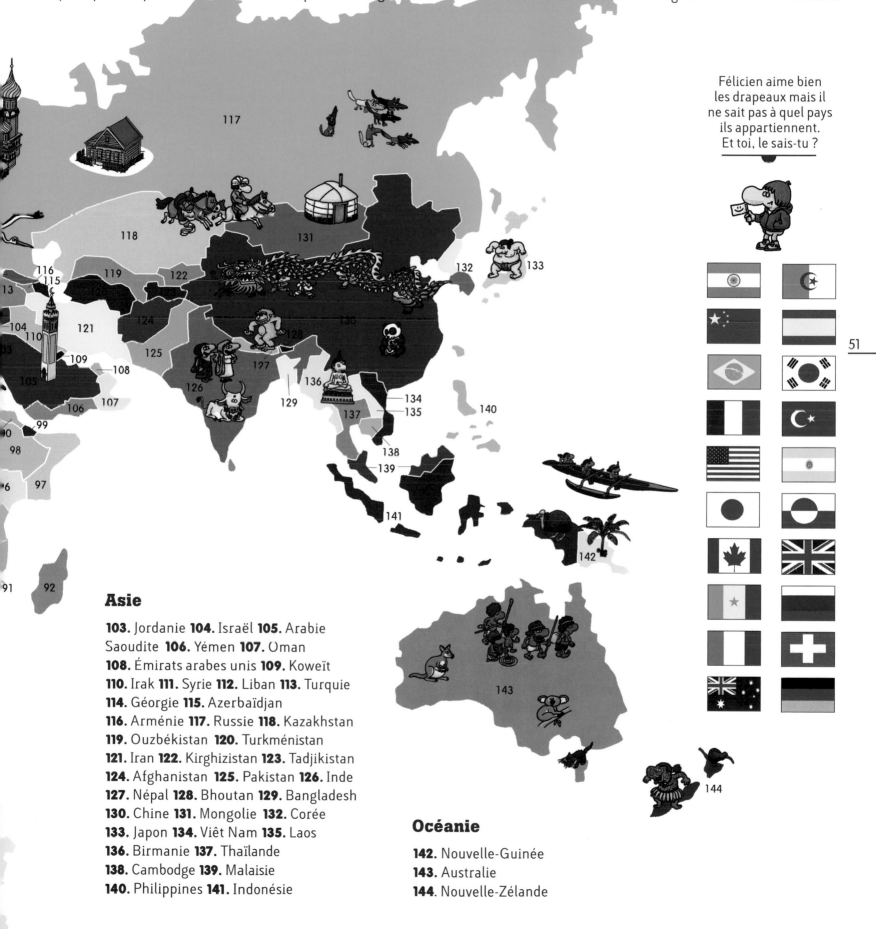

Félicien aime bien les drapeaux mais il ne sait pas à quel pays ils appartiennent. Et toi, le sais-tu ?

51

Asie

103. Jordanie **104.** Israël **105.** Arabie Saoudite **106.** Yémen **107.** Oman
108. Émirats arabes unis **109.** Koweït
110. Irak **111.** Syrie **112.** Liban **113.** Turquie
114. Géorgie **115.** Azerbaïdjan
116. Arménie **117.** Russie **118.** Kazakhstan
119. Ouzbékistan **120.** Turkménistan
121. Iran **122.** Kirghizistan **123.** Tadjikistan
124. Afghanistan **125.** Pakistan **126.** Inde
127. Népal **128.** Bhoutan **129.** Bangladesh
130. Chine **131.** Mongolie **132.** Corée
133. Japon **134.** Viêt Nam **135.** Laos
136. Birmanie **137.** Thaïlande
138. Cambodge **139.** Malaisie
140. Philippines **141.** Indonésie

Océanie

142. Nouvelle-Guinée
143. Australie
144. Nouvelle-Zélande

Quatre saisons et des éléments climatiques

le temps qu'il fait dehors... Et quand est-ce que la pluie va s'arrêter, que l'on puisse avoir trop chaud pour être content d'avoir froid ?

52

1. des cirrocumulus
2. des cirrostratus
3. des cirrus
4. des altocumulus
5. des nimbostratus
6. des altostratus
7. des stratus
8. des cumulus
9. des cumulonimbus
10. la foudre
11. des stratocumulus
12. un arc-en-ciel
13. le printemps
14. l'été
15. l'automne
16. l'hiver

Des paysages

étendues de pays qu'une personne peut regarder même en ayant la bouche pleine.

● une rivière

● une oasis

● un volcan

● une cascade

● des falaises

● un lac

● des montagnes

Ce n'est pas sa tête que Félicien a perdue en voyage… C'est sa valise ! Aide-le à la retrouver !

● une plage

● une forêt

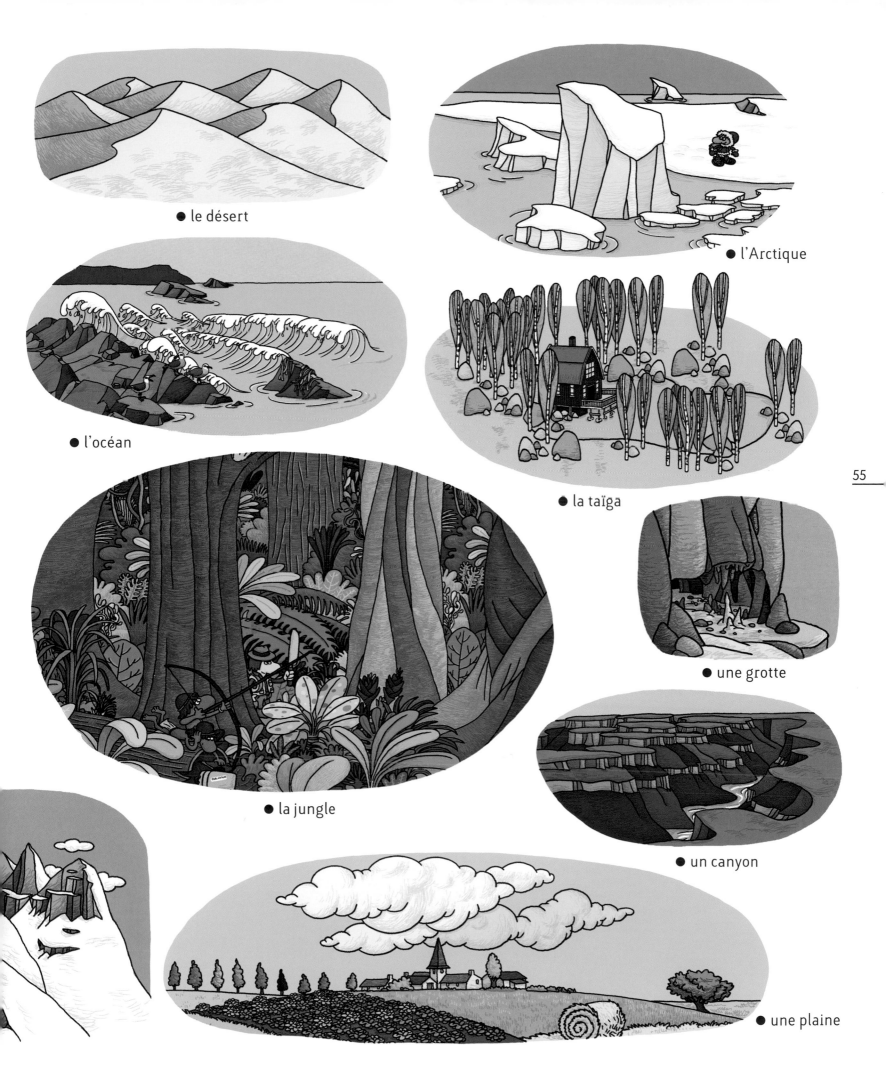

● le désert

● l'Arctique

● l'océan

● la taïga

55

● une grotte

● la jungle

● un canyon

● une plaine

Une ferme

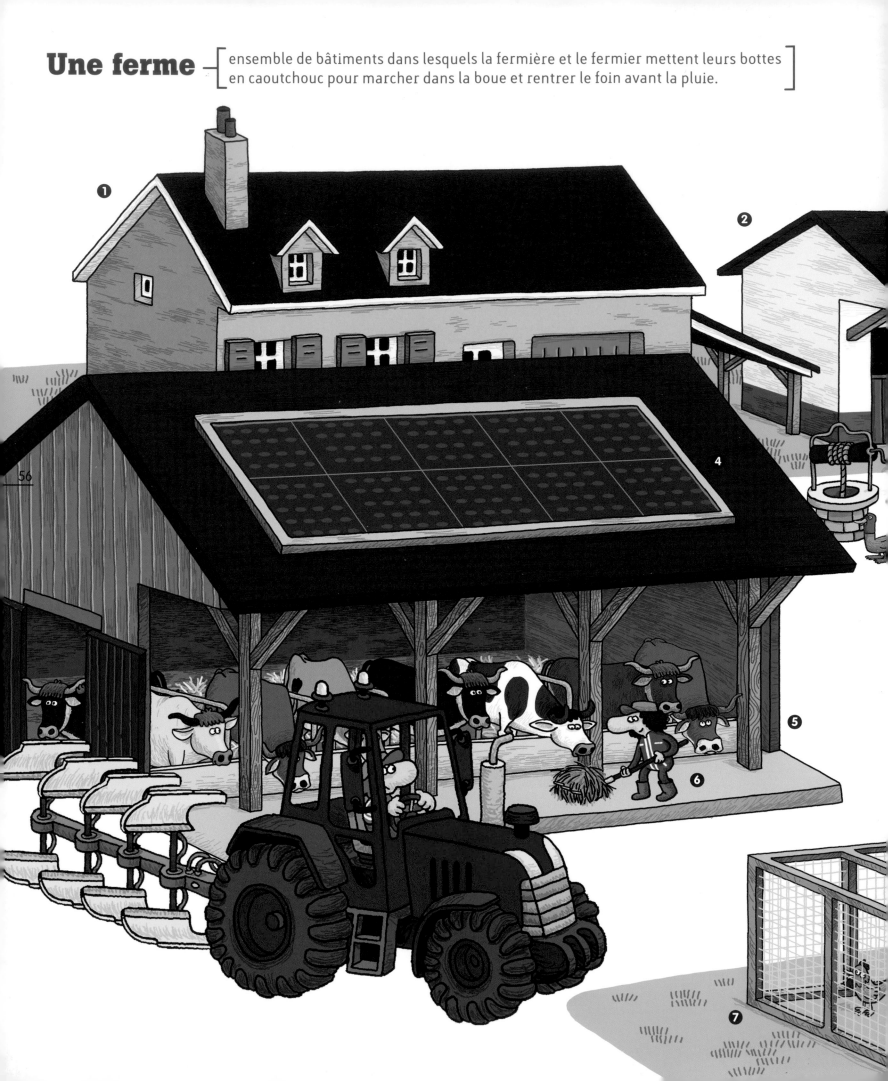

56

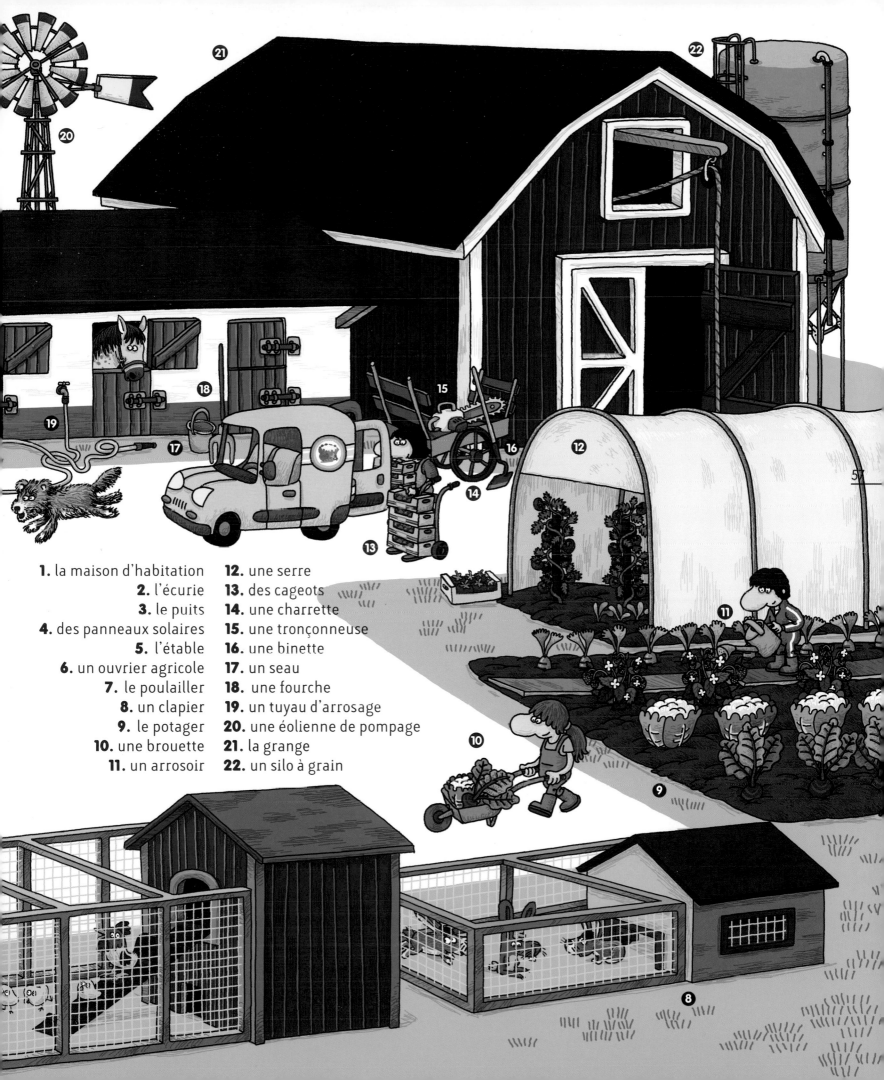

1. la maison d'habitation
2. l'écurie
3. le puits
4. des panneaux solaires
5. l'étable
6. un ouvrier agricole
7. le poulailler
8. un clapier
9. le potager
10. une brouette
11. un arrosoir
12. une serre
13. des cageots
14. une charrette
15. une tronçonneuse
16. une binette
17. un seau
18. une fourche
19. un tuyau d'arrosage
20. une éolienne de pompage
21. la grange
22. un silo à grain

Des animaux domestiques et leurs bébés

animaux ayant renoncé à faire leurs courses eux-mêmes pour tenir compagnie aux êtres humains, ces grands enfants qui ont peur dans le noir mais aussi une irrésistible attirance pour le pâté de campagne et le saucisson à l'ail.

1. un poney **2.** un pigeon, une pigeonne, un pigeonneau **3.** une ânesse, un âne, un ânon **4.** une chèvre, un bouc, un chevreau **5.** une chienne, un chien, un chiot **6.** des pintades **7.** une chatte, un chat, un chaton **8.** une oie, un jars, des oisons **9.** une poule, un coq, des poussins **10.** une canne, un canard, un caneton

59

Domestiques, domestiques... Pas tous !
Il y a des sauvages parmi eux ! Lesquels ?

11. une dinde, un dindon, un dindonneau **12.** une jument, un cheval, un poulain **13.** un cygne **14.** une caille **15.** une lapine, un lapin, des lapereaux **16.** un verrat, une truie, un porcelet **17.** une laie, un sanglier, un marcassin **18.** une vache, un taureau, un veau **19.** des brebis, un bélier, un agneau

Dans les champs

1. un pulvérisateur traîné **2.** une éolienne **3.** un chargeur télescopique **4.** une botteleuse **5.** un épouvantail
6. du blé **7.** une charrue portée **8.** du maïs **9.** une ruche **10.** de la vigne

Quel bazar ! Certains objets et individus se
sont invités sur ces pages sans y être conviés.
Aide Félicien à les trouver.

11. un tracteur-enjambeur **12.** une moissonneuse-batteuse **13.** des bales de foin **14.** une haie **15.** une tonne à eau
16. du colza **17.** une faneuse **18.** un tracteur

Des légumes

plantes dont les graines, les feuilles et les racines se mangent bouillies
et du bout des lèvres. Et non, le hamburger n'est pas un légume vert !

Arghhh... Félicien a attrapé une saladite aiguë et le voilà tout vert ! Un légume a aussi changé de couleur. Lequel ?

1. un radis
2. un navet
3. des salicornes
4. une endive
5. un oignon
6. une carotte
7. un salsifis
8. un topinambour
9. une tomate
10. un melon
11. un poireau
12. une aubergine
13. un céleri
14. une laitue
15. des petits pois
16. un céleri-rave
17. du fenouil
18. de l'ail
19. des haricots verts
20. une betterave
21. un chou-fleur
22. des épinards
23. du maïs
24. un concombre
25. un chou romanesco
26. un chou vert fraisé
27. un poivron
28. des flageolets
29. un artichaut
30. un chou-rave
31. un chou palmier
32. une courgette
33. un potiron
34. un avocat
35. une pomme de terre
36. de la rhubarbe
37. un piment
38. une patate douce
39. un radis noir
40. une asperge
41. un brocoli
42. un panais
43. un chou chinois

Des fruits

aliments comestibles, généralement sucrés, contenant des pépins ou des noyaux à recracher avant d'avaler. Il est à noter que les véritables rillettes du Mans ne contiennent pour leur part aucun noyau, n'étant absolument pas des fruits.

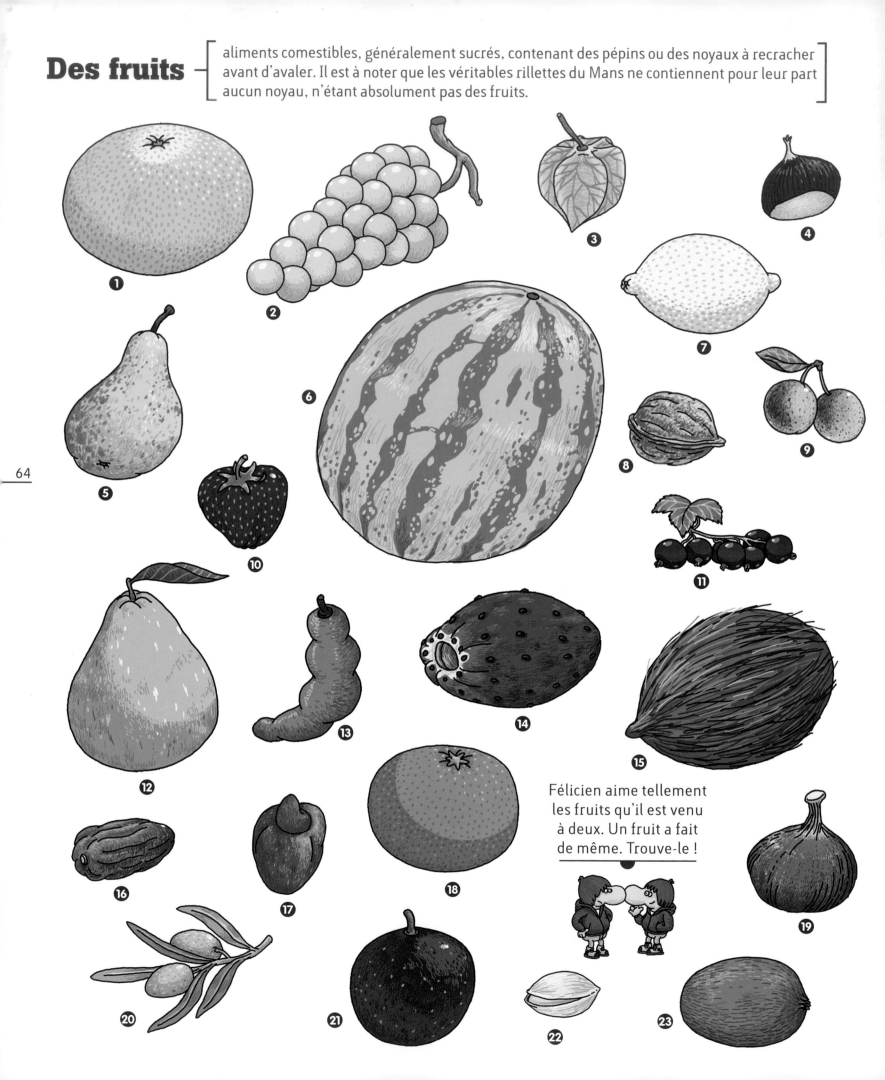

Félicien aime tellement les fruits qu'il est venu à deux. Un fruit a fait de même. Trouve-le !

1. un pamplemousse
2. du raisin
3. un physalis
4. une châtaigne
5. une poire
6. une pastèque
7. un citron
8. une noix
9. des mirabelles
10. une fraise
11. du cassis
12. une goyave
13. du tamarin
14. une figue de Barbarie
15. une noix de coco
16. une datte
17. une noix de cajou
18. une orange
19. une figue
20. des olives
21. un fruit de la passion
22. une pistache
23. un kiwi
24. des groseilles
25. des noisettes
26. des cerises
27. une clémentine
28. une nèfle
29. un kumquat
30. une pêche
31. un citron vert
32. une papaye
33. un coing
34. une mûre
35. une mangue
36. un ananas
37. des amandes
38. une pomme
39. une grenade
40. un litchi
41. une quetsche
42. une framboise
43. un kaki
44. un cynorrhodon
45. une banane
46. un abricot

Des fleurs

parties colorées des plantes servant à la reproduction et à l'odeur relativement éloignée de celle du camembert au lait cru. En cas d'hésitation dans le choix d'un présent à offrir, les fleurs sont à préférer aux lingettes nettoyantes multi-usages ou même à l'incontournable tournevis cruciforme.

66

1. des coquelicots **2.** des campanules **3.** une jonquille **4.** une digitale **5.** une renoncule **6.** une rose trémière **7.** un iris **8.** un lys **9.** une tulipe **10.** un cosmos **11.** un tournesol **12.** une marguerite **13.** une rose **14.** un pissenlit **15.** une jacinthe **16.** des crocus **17.** des pensées **18.** un freesia **19.** un camélia **20.** une giroflée **21.** une orchidée **22.** une capucine

Félicien en est sûr, il n'a rien d'une tulipe ! Alors à quelle fleur correspond son ombre ?

23. une anémone **24.** un edelweiss **25.** des pervenches **26.** un arum **27.** du muguet **28.** un pavot **29.** un cyclamen **30.** un œillet **31.** du liseron **32.** un perce-neige **33.** de la lavande **34.** une amaryllis **35.** un gerbera **36.** une pivoine **37.** une ancolie sauvage **38.** des boutons d'or **39.** une primevère **40.** des violettes **41.** des pâquerettes **42.** un nénuphar

Des arbres

le plus souvent, voire même toujours, les arbres sont des végétaux en bois avec des feuilles au bout et qui n'ont rien d'autre à faire que s'amuser avec le vent.

68

1. un séquoia
2. un poirier
3. un saule pleureur
4. un pin
5. un bananier
6. un palmier
7. un arbre à pain
8. un acajou
9. un manguier
10. un baobab
11. un chêne
12. un saucissonier
13. un eucalyptus

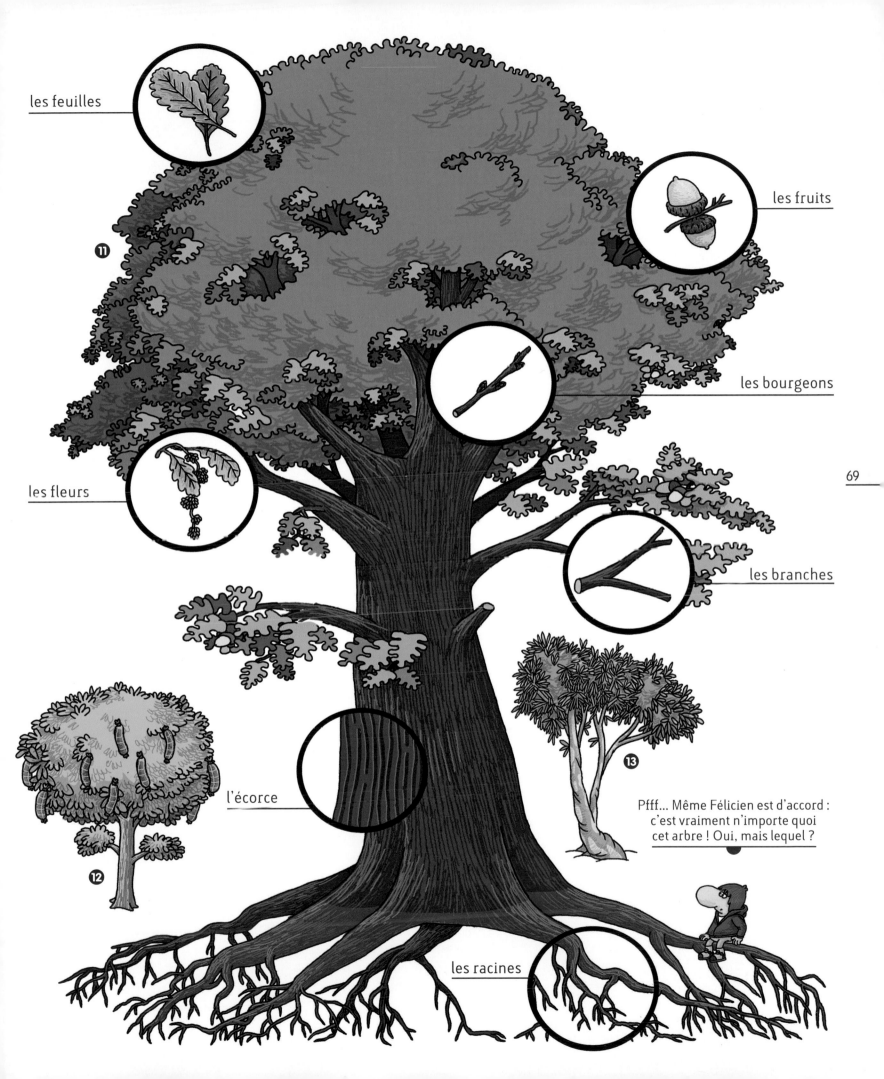

les feuilles

les fruits

11

les bourgeons

les fleurs

les branches

69

l'écorce

13

Pfff... Même Félicien est d'accord :
c'est vraiment n'importe quoi
cet arbre ! Oui, mais lequel ?

12

les racines

Des poissons

[animaux aquatiques à branchies, ne sachant pas faire leurs lacets tout seuls.]

1. un mérou à points bleus **2.** un dragon des mers **3.** un poisson-trompette **4.** un mérou **5.** une murène zébrée **6.** une dorade **7.** une légine antarctique **8.** un poisson-ange empereur **9.** un poisson-lune **10.** un ban de maquereaux **11.** un saint-pierre **12.** un esturgeon **13.** un grand avaleur **14.** un poisson-pierre **15.** un poisson-clown **16.** un poisson-ballon **17.** un poisson fusilier **18.** un grandgousier **19.** un poisson des glaces **20.** un barracuda **21.** un sébaste **22.** un poisson-écureuil **23.** une truite **24.** un hippocampe **25.** un spatulaire **26.** un baliste clown **27.** un poisson-loup **28.** un thon **29.** une limande **30.** une sole **31.** une carangue **32.** un dernier géant des kelps **33.** un poisson-chirurgien **34.** une perche commune **35.** un brochet **36.** un poisson-vipère **37.** une dorade coryphène **38.** une rascasse volante **39.** une orphie

71

Un poisson pas sérieux du tout du tout s'est glissé parmi les autres et Félicien n'a rien vu. Trouve-le !

40. une anguille serpent à bandes **41.** une baudroie **42.** un poisson-papillon **43.** un poisson d'avril **44.** un poisson-cardinal **45.** un pagre à points bleus **46.** un rouget **47.** un gaterin antarctique **48.** un mérou bossu **49.** un turbot **50.** un poisson-globe **51.** un poisson-perroquet vert **52.** un lieu jaune **53.** un rémora **54.** un poisson-chat **55.** un poisson-arlequin **56.** un ban de sardines **57.** une hache d'argent **58.** une chimère **59.** un nason **60.** un espadon **61.** un poisson volant **62.** un poisson-voilier **63.** un flétan **64.** un napoléon **65.** une plie **66.** un saumon rouge **67.** une anguille **68.** une perche à raies bleues **69.** un poisson-pilote **70.** un labre californien **71.** un opah **72.** une murène **73.** une carpe **74.** un anthias **75.** un cœlacanthe **76.** un poisson-perroquet à bosse **77.** une morue **78.** un garibaldi

71

Des mammifères marins

famille d'animaux vertébrés à mamelles et aux pieds dans l'eau. Certains ont un sonar, mais jamais Internet !

● un narval

72

● une baleine bleue

● une baleine des Basques

● un globicéphale

● un dauphin à long bec

● un marsouin

● un dauphin d'Hector

● un cachalot

● un mésoplodon

● un phoque barbu

● une otarie

● un phoque-léopard

● un phoque à capuchon

● un phoque à rubans

● un béluga

● une baleine boréale

● un dugong

● un orque

Félicien ne sait même pas ce qu'il a attrapé. Peux-tu l'aider à identifier sa prise ?

● un éléphant de mer

● un morse

Dans la mer

Des coquillages ⎡ animaux aquatiques, mous, fermés hermétiquement, d'une
grande timidité et vivant le plus souvent dans leur coquille. ⎤

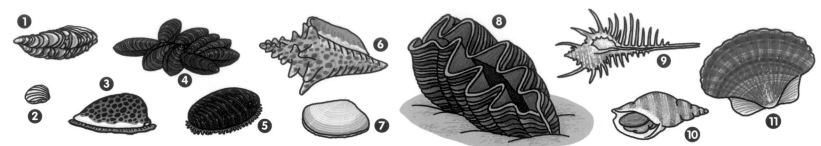

1. une huître **2.** une coque **3.** une porcelaine **4.** des moules **5.** un ormeau **6.** un lambi **7.** une telline **8.** un bénitier
9. un murex ou peigne de Vénus **10.** un bulot **11.** une coquille Saint-Jacques

Des algues ⎡ végétaux poussant dans l'eau, faciles à vivre puisqu'on n'a pas besoin de les
arroser, et faisant office de légumes pour les poissons et certains êtres humains. ⎤

74

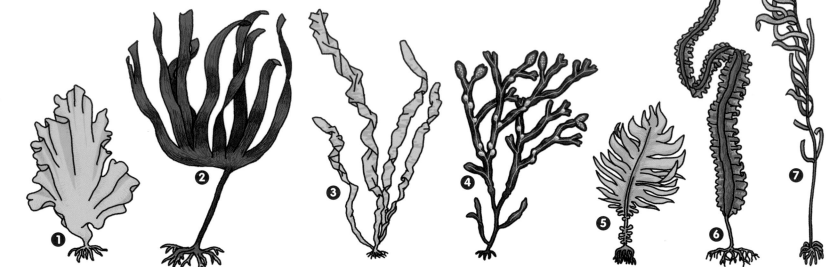

1. une laitue de mer **2.** une laminaire digitée **3.** une Ulva ou Ao-Nori **4.** du fucus ou goémon noir **5.** du wakame ou fougère
de mer **6.** une laminaire sucrée **7.** du kelp

Un récif de corail

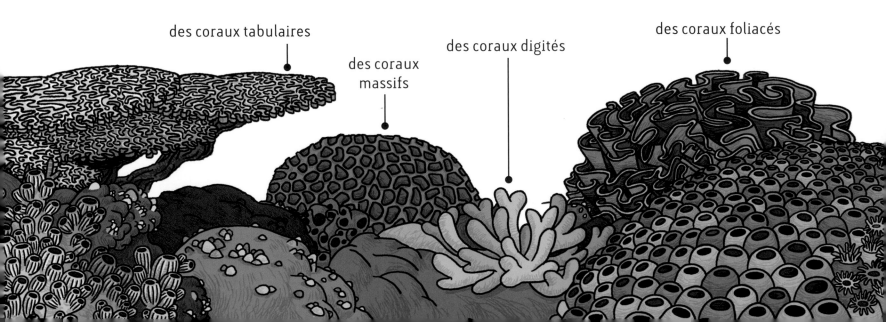

des coraux tabulaires

des coraux
massifs

des coraux digités

des coraux foliacés

Des crustacés — êtres vivants de la même famille que les insectes sauf que ceux-là vivent dans l'eau. Du coup, ils ne prennent jamais leurs vacances ensemble.

1. un tourteau **2.** une langouste **3.** une araignée de mer **4.** une cigale de mer **5.** une langoustine **6.** un homard **7.** un bernard-l'ermite **8.** une squille **9.** une crevette grise **10.** un crabe vert

Et aussi

1. une ophiure **2.** un oursin violet **3.** une holothurie ou concombre de mer **4.** une étoile de mer bleue **5.** une poranie rouge **6.** une étoile-coussin des Galápagos **7.** une méduse dorée **8.** des salpes **9.** une méduse pélagie **10.** un vampire des abysses **11.** un poulpe **12.** une seiche **13.** un calamar

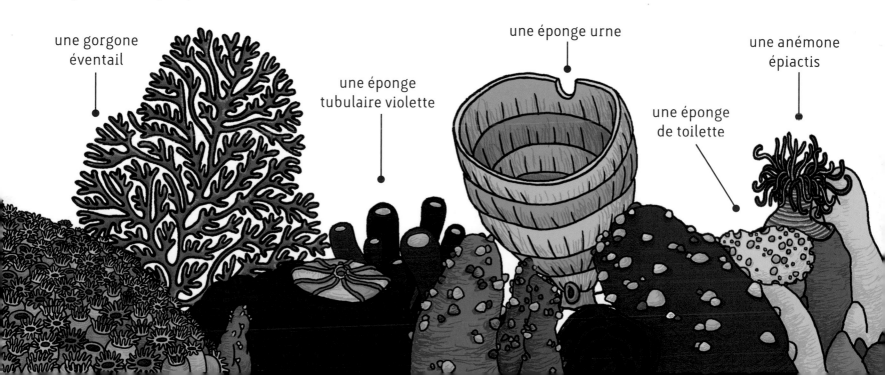

une gorgone éventail

une éponge tubulaire violette

une éponge urne

une éponge de toilette

une anémone épiactis

Des requins et quelques raies

[les requins sont des poissons à grandes dents n'ayant que peu de goût pour le potage aux légumes. De leur côté, les raies sont des poissons ailés qui ne ressemblent à rien.]

Malgré l'aspect particulièrement ridicule du déguisement de Félicien, peux-tu deviner quel requin il a souhaité imiter ?

1. un requin mako **2.** un requin-baleine **3.** une raie mobula **4.** une raie-guitare **5.** un requin bleu **6.** un grand requin blanc **7.** une raie-aigle **8.** un requin-chagrin **9.** un ange de mer **10.** une torpille **11.** un requin-chabot marqueterie **12.** un requin-lutin **13.** un requin longimane **14.** un requin-renard **15.** un requin-tigre **16.** un laimargue du Groenland **17.** un requin-crocodile **18.** un requin-léopard **19.** une roussette **20.** un requin-nourrice **21.** un requin de Port-Jackson **22.** un requin-vache **23.** un requin-citron **24.** un requin-lézard **25.** une raie pastenague à points bleus **26.** un requin-taupe **27.** un requin-scie **28.** un requin-taureau **29.** un requin plat-nez **30.** un requin-marteau **31.** un requin à pointes blanches

Des mammifères

famille d'animaux vertébrés à mamelles, n'ayant cependant pour la plupart jamais pris le train de 19 h 12 pour Le Mesnil-Racoin !

1. un éléphant d'Afrique 2. une genette 3. un kinkajou 4. un bouquetin 5. un tamanoir 6. une loutre 7. un tapir
8. un nasique 9. un panda 10. un pangolin 11. une chauve-souris 12. un chameau 13. un dromadaire 14. un lama
15. un sanglier 16. un ornithorynque 17. un tamandua 18. une mangouste 19. un oryctérope 20. un impala 21. une girafe
22. un grand koudou 23. un panda roux 24. un paresseux 25. un suricate 26. un écureuil volant 27. un coati 28. un tatou
29. un okapi 30. un tarsier 31. un desman

79

32. un ours à collier **33.** un cerf **34.** un ours blanc **35.** une hyène **36.** une roussette **37.** un blaireau **38.** un chevreuil
39. un daman **40.** un zèbre **41.** un glouton **42.** un renne **43.** un rhinocéros **44.** une musaraigne **45.** un daim **46.** un pécari
47. un mouflon à manchettes **48.** un chamois **49.** une gazelle dorcas **50.** un zorille **51.** un élan **52.** un léopard des neiges
53. un potamochère **54.** un markhor **55.** un babiroussa **56.** une chèvre des Rocheuses **57.** un bongo **58.** un putois
59. un phacochère **60.** un oryx **61.** un hippopotame **62.** un hérisson **63.** un ours brun

Différentes familles de mammifères

des bovidés

1. une vache montbéliarde   **2.** un yack   **3.** un zébu   **4.** un bœuf musqué

des marsupiaux

1. un chat marsupial   **2.** un rat-kangourou   **3.** un opossum rayé   **4.** un opossum   **5.** un échidné   **6.** un couscous   **7.** un bandicoot

80

des canidés

1. un chien des buissons   **2.** un basset   **3.** un otocyon   **4.** un fennec   **5.** un renard

des félins

C'est sûr, le rat n'est pas un bovidé et n'a rien à voir avec un kangourou ! Alors, à quelle famille appartient-il ?

1. un ocelot   **2.** un lynx   **3.** un caracal   **4.** un serval

des primates

1. un macaque à queue de lion   **2.** un babouin   **3.** un colobe   **4.** un singe rouge   **5.** un maki   **6.** un singe hurleur

des rongeurs

1. un lérot   **2.** un mulot   **3.** un loir   **4.** une marmotte   **5.** un écureuil   **6.** un cobaye   **7.** un porc-épic

5. un gaur

6. un gnou

7. un buffle d'eau

8. un bison

8. un diable de Tasmanie

9. un wombat

10. un wallaby

11. un kangourou arboricole

12. un koala

13. un kangourou

81

6. un dingo

7. un lévrier

8. un lycaon

9. un dalmatien

10. un loup

5. un puma

6. un guépard

7. une panthère noire

8. un lion

9. un tigre

7. un saki à face blanche

8. un mandrill

9. un chimpanzé

10. des êtres humains

11. un orang-outan

12. un gorille

8. un castor

9. un ragondin

10. un lièvre

11. un agouti

12. un capybara

Des oiseaux — [animaux avec une aile de chaque côté, ne sachant pas toujours s'en servir, ce qui est vraiment nigaud car ils vont devoir rentrer chez eux à pied.]

1. un geai bleu **2.** un grand corbeau **3.** une huppe **4.** un tantale d'Amérique **5.** un grand duc d'Amérique **6.** une bernache du Canada **7.** une grande frégate **8.** une poule d'eau **9.** un flamant rose **10.** un toucan toco **11.** un cygne tuberculé **12.** une oie cendrée **13.** un aigle royal **14.** un héron cendré **15.** un cygne à cou noir **16.** un guillemot **17.** un manchot empereur **18.** une cigogne **19.** un calao à ventre rouge **20.** une autruche **21.** un pic-vert **22.** un martin-pêcheur d'Europe **23.** un bec-en-sabot **24.** une grue cendrée **25.** un caracara huppé **26.** un ara rouge **27.** une perruche ondulée **28.** un émeu **29.** un cacatoès à huppe jaune **30.** un urubu à tête rouge **31.** une hirondelle de rivage **32.** un eider royal **33.** un colvert **34.** un eider à duvet **35.** un fou de Bassan **36.** une perdrix choukar **37.** un corbeau-pie **38.** un messager serpentaire **39.** une mésange charbonnière

83

Félicien voudrait bien s'envoler...
mais il rentre toujours chez lui à pied.
Trouve tous les oiseaux dans son cas.

40. un goéland **41.** une bernache nonnette **42.** un vautour fauve **43.** un colibri calliope **44.** une aigrette garzette **45.** un étourneau sansonnet **46.** un rouge-gorge familier **47.** un manchot Adélie **48.** un casoar à casque **49.** un martin-pêcheur à collier blanc **50.** une grue demoiselle **51.** une mouette rieuse **52.** une grande aigrette **53.** une hirondelle à ceinture blanche **54.** un perroquet gris **55.** un merle noir **56.** un bec-ouvert africain **57.** un coq de bruyère **58.** un coucou **59.** une bécasse **60.** un kiwi **61.** un ibis sacré **62.** un faisan **63.** un condor des Andes **64.** un marabout d'Afrique **65.** une avocette **66.** un ibis rouge **67.** un pélican **68.** un colibri admirable **69.** un faucon **70.** une sterne arctique **71.** un macareux **72.** un huîtrier-pie **73.** un calao de Malabar **74.** une frégate **75.** un gypaète barbu **76.** un martinet à ventre blanc **77.** un pétrel géant

Des insectes et des araignées

[êtres vivants à six ou huit pattes, souvent de petite taille et qui grattent, au regard vague et à la démarche menaçante, ce qui fait d'eux de piètres animaux de compagnie.]

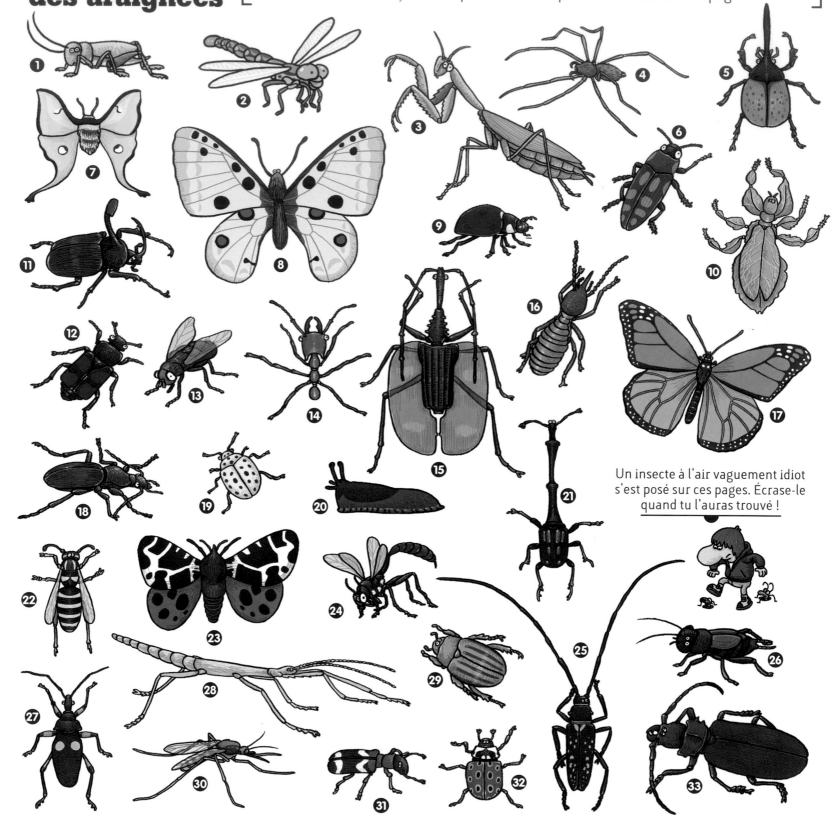

Un insecte à l'air vaguement idiot s'est posé sur ces pages. Écrase-le quand tu l'auras trouvé !

1. une sauterelle **2.** une libellule **3.** une mante religieuse **4.** une araignée domestique **5.** un dynaste Hercule **6.** un bupreste **7.** un papillon-lune **8.** un apollon **9.** une coccinelle à sept points **10.** une phyllie **11.** un scarabée-rhinocéros **12.** un nécrophore **13.** une mouche bleue **14.** une fourmi coupe-feuille **15.** un scarabée-violon **16.** une termite **17.** un monarque **18.** un carabe violet **19.** une coccinelle à vingt-deux points **20.** une limace **21.** un scarabée-girafe **22.** une guêpe commune **23.** une écaille martre **24.** une guêpe des sables **25.** un capricorne **26.** un grillon **27.** une punaise assassine **28.** un phasme **29.** un scarabée **30.** un moustique **31.** un clairon des fourmis **32.** une coccinelle ocellée **33.** un titan

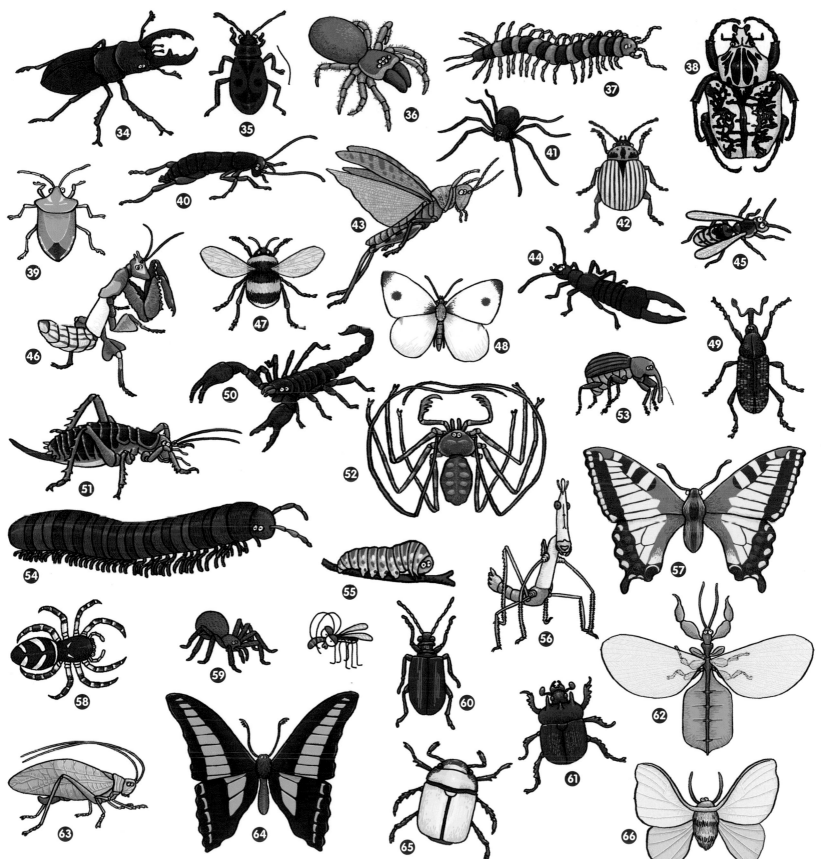

34. un lucane cerf-volant **35.** un gendarme **36.** une atype **37.** un scolopendre **38.** un goliath **39.** une punaise verte
40. un cafard **41.** une veuve noire **42.** un doryphore **43.** un criquet migrateur **44.** un perce-oreille **45.** un frelon
46. une mante rose **47.** un bourdon **48.** une piéride du chou **49.** un charançon **50.** un scorpion **51.** un weta géant
52. une amblypyge **53.** un anthonome **54.** un mille-pattes africain **55.** une chenille **56.** un criquet-bâton **57.** un machaon
58. une saltice **59.** une mygale **60.** un criocère du lys **61.** un minotaure **62.** un phasme feuille de Java **63.** une sauterelle
verte d'Amérique **64.** un voilier bleu **65.** un scarabée d'or **66.** un bombyx du mûrier

Des reptiles et des amphibiens

[animaux à quatre pattes ou sans, passant leur temps à se traîner par terre et n'ayant aucune conversation.]

S'il ne les met pas dans son nez, Félicien aura assez de doigts pour compter toutes les grenouilles. Peux-tu l'aider ?

1. une salamandre **2.** un tokay **3.** un lézard à longues pattes **4.** un triton crêté **5.** une grenouille volante **6.** une vipère cornue **7.** une tortue-alligator **8.** une tortue géante des Galápagos **9.** une salamandre-tigre **10.** une tortue verte **11.** un serpent corail **12.** un iguane casqué **13.** une grenouille aux yeux rouges **14.** un varan de Komodo **15.** un gecko à queue épaisse **16.** une tortue à grosse tête **17.** une tortue étoilée **18.** une grenouille de verre **19.** un axolotl **20.** une tortue mouchetée **21.** un cobra **22.** un caméléon casqué **23.** un python molure **24.** une salamandre géante du Japon **25.** un gavial **26.** un amphiume **27.** un dendrobate **28.** un triton à ventre de feu **29.** une tortue matamata

30. une sirène **31.** un python vert **32.** un dendrobate fraise **33.** une grenouille cornue asiatique **34.** une salamandre de feu **35.** un crapaud-buffle **36.** un anaconda **37.** une couleuvre **38.** une tortue luth **39.** une tortue à long cou **40.** une grenouille cornue **41.** un iguane vert **42.** un caïman **43.** une grenouille de Darwin **44.** un gecko à bandes **45.** une vipère aspic **46.** un caméléon à courte queue **47.** un caméléon de Jackson **48.** un triton crêté **49.** un lézard à collerette **50.** un crapaud vert **51.** un téju rouge **52.** une couleuvre rayée **53.** une grenouille de Panama **54.** un triton empereur **55.** un zonosaure de Madagascar **56.** un basilic vert **57.** un serpent de boue **58.** un varan de Gould

Des dinosaures

un peu comme les reptiles mais en plus susceptibles, plus irritables, beaucoup plus grands et dont il ne reste que des os.

1. un iguanodon **2.** un triceratops **3.** un desmatosuchus **4.** un plateosaurus **5.** un sinraptor **6.** un monolophosaurus
7. un euparkeria **8.** un pachycephalosaure **9.** un longisquama **10.** un brachiosaure **11.** un stégosaure **12.** un eudimorphodon
13. un gasosaurus **14.** un quetzalcoatlus **15.** un corythosaure **16.** un guanlong

Félicien a retrouvé un bébé égaré
sur le parking du supermarché.
Peux-tu le rendre à sa mère ?

17. un isanosaurus **18.** un edmontosaurus **19.** un anchisaurus **20.** un rhamphorhynchus **21.** un coelophysis **22.** un eoraptor
23. un tyrannosaure **24.** un massospondylus **25.** un dimétrodon **26.** un carnotaurus **27.** un velociraptor **28.** un oviraptor
29. un parasaurolophus **30.** un gracilisuchus **31.** un hypsiliphodon **32.** un dryosaurus

Du bazar

[état de désordre général du monde avant son classement thématique en encyclopédie.]

RÉPONSES

pp. 6-7 : Charlie est au centre en haut de l'image sous une jeune fille en bicyclette. **pp. 8-9 :** Espérons que notre squelette ne veuille pas marcher : c'est douloureux sans fémur ! **pp. 12-13 :** Les voilà les tatas, j'ai nommé Micheline, Yvette, Josiane et Paulette. **pp. 14-15 :** La poubelle appartient à l'éboueur (n° 41) et l'arrosoir au jardinier (n° 43). **pp. 16-17 :** La course de Caddies® (n° 25), pardi ! **pp. 18-19 :** La guitare appartient au groupe punk (n° 1). **pp. 20-21 :** Il ne manquerait plus que la petite Viking (n° 7) sache envoyer des SMS… **pp. 24-25 :** Horus (n° 25) n'est pas grec, c'est une divinité égyptienne. **pp. 26-27 :** Pas sûr que M. Dupuis, instituteur (n° 7) soit si monstrueux que ça ! **pp. 30-31 :** Pour se confectionner un super repas du dimanche, Félicien a besoin d'une casserole, d'une passoire, d'une cocotte, d'une écumoire, d'une poêle, d'un presse-citron, d'un grille-pain, d'une assiette, d'une fourchette, d'un verre et d'une tasse.

pp. 32-33 : Ah, sacré Félicien… C'est une maison sur pilotis (n° 13) sur la photographie. **pp. 34-35 :** La torche appartient à la statue de la Liberté (n° 4).

pp. 36-37 : C'est le filtre à air du bulldozer (n° 3) que Félicien a chipé. **pp. 38-39 :** Félicien s'est fait prendre en stop par un chouette petit couple (n° 28). Indice : il a toujours eu un faible pour les blondes ! **pp. 44-45 :** Y'en a un (n° 12) qui, après avoir pêché, va sacrément ramer sans rame. **pp. 48-49 :** Depuis que Pluton a été rétrogradé du système solaire, Neptune (n° 1) est la planète la plus éloignée de la Terre. **pp. 50-51 :** De haut en bas : Inde, Chine, Brésil, France, États-Unis, Japon, Canada, Sénégal, Italie, Australie, Algérie, Espagne, Corée du Sud, Turquie, Argentine, Groenland, Royaume-Uni, Russie, Suisse, Allemagne.

pp. 54-55 : Tiens, un Indien vient de retrouver la valise de Félicien au beau milieu de la jungle. **pp. 58-59 :** N'importe quoi ! Depuis quand la laie, le sanglier et le marcassin (n° 17) ont-ils le droit de siéger parmi les animaux domestiques ? **pp. 60-61 :** Le lampadaire, le sens interdit, la pompe à essence, le pirate, la lanceuse de javelot, la patineuse et le bébé dans sa poussette n'appartiennent certainement pas au monde rural. **pp. 62-63 :** La tomate bleue (n° 9) n'a pas à rougir de sa petite blague. **pp. 64-65 :** Miam ! Il y a deux fois plus de mirabelles (n° 9) sur ces pages. **pp. 66-67 :** C'est au cosmos (n° 10) que correspond l'ombre de Félicien.

pp. 68-69 : Le saucissonier (n° 12) est bien un arbre, mais on n'y voit pas pousser des saucisses. **pp. 70-71 :** Ha ha ha ! Il nous a bien eu ce poisson d'avril (n° 43) ! **pp. 72-73 :** Félicien a attrapé un marsouin. **pp. 76-77 :** Ridicule ce Félicien : il a voulu imiter le requin-marteau (n° 30). **pp. 78-79 :** Un rhinocéros à trois cornes, on n'a jamais vu ça… **pp. 80-81 :** Le rat appartient à la famille des rongeurs. **pp. 82-83 :** Parmi ces oiseaux, le manchot empereur (n° 17), l'autruche (n° 20), l'émeu (n° 28), le manchot Adélie (n° 47), le casoar à casque (n° 48) et le kiwi (n° 60) sont inaptes au vol. **pp. 84-85 :** Écrase le moustique planqué entre la mygale (n° 59) et le criocère du lys (n° 60). **pp. 86-87 :** Compte neuf grenouilles sur ces pages (n° 5, 13, 18, 27, 32, 33, 40, 43, 53). **pp. 88-89 :** Oh, qu'il est chou ce bébé brachiosaure ! Pas sûr que Félicien le rende à sa mère (n° 10)… **pp. 90-91 :** Hum… cette fois, c'est à toi de te débrouiller pour reclasser tout ce petit monde !